L'Influence
Secrète des Sons
et de la Musique

Patrick Bernard

L'Influence Secrète des Sons et de la Musique

**Catalogage avant publication de Bibliothèque et Archives
nationales du Québec et Bibliothèque et Archives Canada**
Bernard, Patrick
   L'influence secrète des sons et de la musique
   Éd. rev. et augm.
   Publ. antérieurement sous le titre : Les secrets de la musique de
l'âme. Montréal : L. Courteau, 1990.
   Doit être acc. d'un disque son.
   Comprend des réf. bibliogr.
   ISBN 978-2-9811084-0-1
   1. Musique - Aspect psychologique. 2. Musicothérapie. 3. Mantras.
4. Vie spirituelle. I. Titre. II. Titre : Les secrets de la musique de l'âme.
ML3830.B527 2009   781'.11   C2009-940763-9

Édition, révision et diffusion
Devi Communication Inc.
180 Chemin Danis, Grenville sur la Rouge, Qc Canada J0V 1B0
www.patrickbernard.com
info@patrickbernard.com / devi@devi.infosathse.com
1-877-707-2905

Montage intérieur :
Productions André Harvey

Couverture :
Caron & Gosselin

Dépôt légal
Bibliothèque nationale du Québec, 2009
Bibliothèque et Archives Canada, 2009
Bibliothèque Nationale de France
ISBN : 978-2-9811084-0-1
1 2 3 4 5 - 05 - 12 11 10 09 08
Imprimé au Canada

Table des matières

(((ॐ)))

• L'effet du son sur la santé
• La force d'attraction de la parole
• Mantra, chakra et vibrations sonores
• Le massage par le son des Saints Noms
• Les soins de l'âme par la prière

Nouvelle édition revue et corrigée

Remerciements:

Ce livre est dédié aux grands guides spirituels qui ont éclairé ma route : Jésus, Omraam Aïvanov, Srilâ Prabhupâda et Sridhar Maharaj.

Je remercie très chaleureusement André Harvey, auteur, écrivain et musicien, pour son aide précieuse et inconditionnelle dans l'édition de ce livre.

Ma gratitude se porte aussi vers Suzanne Gagnon-Haslam, Msc.D., pour la lumière des guérisons vraiment magnifiques qu'elle nous apporte.

Je dois beaucoup au compositeur et producteur Robert Lafond et son AUM Studio pour l'orchestration et le sound design de l'album *Musique Thérapie* inclu dans cet ouvrage. Sans son immense culture musicale, cet album ne serait pas ce qu'il est.

(((ॐ)))

« Ce n'est que lorsque la maîtrise et la tranquillité auront été acquises que les protecteurs de la race feront connaître au monde la musique dite bouddhique qui nous donnera accès, sans danger, à une illumination intérieure, dont la grandeur dépassera tout ce que nous connaissons actuellement de plus beau sur Terre. Cette musique ressemblera dans une certaine mesure au mantra... Le compositeur de cette nouvelle ère musicale invoquera par la musique les entités des plans supérieurs. »

CYRIL SCOTT La Musique

« Rendus forts par la puissance du son, nous cheminons joyeux à travers la sombre nuit de la mort. »

MOZART La Flûte enchantée

PRÉFACE
de Patrick Drouot

C'est avec grand plaisir que nous répondons à l'invitation de Patrick Bernard de présenter son livre au public. C'est non seulement un plaisir, mais un devoir que celui d'encourager la diffusion d'ouvrages tels que celui-ci dans un monde qui est désespérément en quête de son origine perdue, de son être et de son devenir. *L'Influence Secrète des Sons et de la Musique* reflète la profondeur de la pensée de Patrick Bernard et démontre son souci de la situation parfois tragique dans laquelle se trouvent des pans entiers de notre système socioculturel et de nos croyances.

Au fur et à mesure de l'ouvrage, l'auteur aborde les points clés de son propre cheminement et ceci me fait songer aux paradoxes dans lesquels beaucoup d'êtres humains se débattent. Ainsi cet ethnologue qui, arrivé en Inde et voyageant à travers la jungle, vit un saint homme danser seul dans la forêt. Dans la clairière le yogi courait et embrassait les arbres, il riait lorsque les feuilles lui caressaient doucement le visage et sa face se reflétait à la clarté lunaire dans une expression de joie extatique intense. L'ethnologue regarda le sage jusqu'au moment où, ne pouvant plus se retenir, il marcha vers le saint homme et lui demanda : « Excusez-moi, mais qu'est-ce qui vous fait danser ici, seul dans la jungle ? » Le yogi le regarda, surpris, avec une expression d'incompréhension sur la figure et lui répondit : « Excusez-moi, mais qu'est-ce qui vous fait penser que je suis seul ? »

Ces deux questions reflètent le dilemme dans lequel nous nous trouvons tous, et ne peuvent pas trouver de réponse car elles dépendent de la vision du monde de chacun. Le yogi se savait entouré par la clairière, les esprits de la nature, il sentait la vie des arbres alors que l'ethnologue ne voyait que du bois et de la chlorophylle. Les réalités de ces deux hommes se chevauchent et ne veulent rien dire, une réalité ne signifie rien pour celui qui n'est pas intéressé par elle. Dans ses pensées, Patrick Bernard se sent concerné par la vision matérialiste des choses qu'il exprime clairement sous une forme extraordinairement poétique, et il est vrai que nous vivons une époque de changements constants.

Tous les sages et tous les chercheurs que j'ai rencontrés ont laissé transparaître leur souci de réunifier deux concepts a priori inconciliables : la vision scientifique occidentale et la tradition spirituelle orientale. D'un point de vue sémantique, nous sommes prisonniers d'une définition trop limitée de la vie et de l'intelligence. Il apparaît peu à peu que ce que nous, êtres humains, entendons par esprit, intelligence ou même vie, n'est qu'un reflet, un succédané d'un principe d'organisation bien plus vaste. Il existe bel et bien en chacun d'entre nous une conscience spirituelle en résonance avec la conscience spirituelle de l'univers. Et l'astronaute Edgar Mitchell, sixième homme à avoir marché sur la lune l'a bien compris lorsqu'il me dit dans mon appartement parisien au printemps 1991 : « Lors de la mission Apollo XIV, je suis parti sur la lune comme un technicien, j'en suis revenu comme un être humain ».

« Si cet écrit parvient à renforcer l'égrégore de conscience cosmique qui grandit chaque jour autour du globe, il aura atteint sa cible », dit Patrick Bernard. D'un point de vue symbolique, le côté matériel des choses représente le serpent lié à la terre, et l'aigle, l'envol spirituel ; lorsque les deux s'amalgament, nous obtenons un dragon merveilleux, un serpent ailé portant le message de la terre vers l'univers. Et les anciennes traditions, qu'elles soient iroquoises ou polynésiennes, l'ont compris car le dragon fait partie de leur symbolisme le plus profond.

Le regretté Joseph Campbell disait que beaucoup de personnes croient que ce que nous recherchons tous est une signification à l'existence. Peut-être n'est-ce pas exactement ce que nous recherchons. Peut-être que ce que nous recherchons tous est simplement l'expérience d'être vivant de manière à connaître l'enchantement de vivre dans un corps de chair dans le monde physique.

À travers *L'Influence Secrète des Sons et de la Musique*, la pensée de Patrick Bernard reflète deux tendances, son souci de la situation actuelle et son désir de partager ses espoirs. À l'instar de tant d'autres, pour lui, l'existence ne s'arrête pas à cette unique vie, rejoignant ainsi les enseignements les plus anciens du monde et les découvertes plus récentes sur la possibilité de l'esprit humain de voyager à travers le temps. Ainsi se vérifie l'aphorisme puissant : « J'ai été, je suis et je serai. » Nous sommes en train de vivre un âge où les scientifiques parlent comme des mystiques et les mystiques comme des scientifiques, où le sol se dérobe sous nous pieds, où les fondations vacillent. Peut-être en a-t-il été ainsi à d'autres époques. Aujourd'hui, pourtant, la question de notre survie personnelle, collective et planétaire se pose, impérative. La période de l'histoire que nous vivons est différente, il y a réellement une émergence de la conscience, perceptible en tous points de la planète.

« N'avoir aucune opinion religieuse et rejeter tout jugement préconçu sont les deux clés qui déverrouillent les secrets du parfait abandon. Abandonner son corps, son esprit et sa parole au courant universel de la divinité

intérieure constitue les trois stades du renoncement »,
dit encore Patrick Bernard. Et là où les religions s'arrêtent,
commence la spiritualité. Il est un moment de la vie où il
n'est plus possible de refuser l'Appel, et dès que le
voyageur part à la quête de son propre Graal, le retour
en arrière devient improbable, voire impossible et la
rencontre avec son Ange, son Alter Ego, son Soi sublimé
provoque ce que les traditions nomment Illumination.

Le but ultime de toute quête spirituelle ne devrait
pas être la recherche d'états de conscience cosmique pour
soi-même, mais pour la sagesse, la compassion et le
service aux autres. Patrick Bernard fait partie de cette
seconde catégorie d'êtres et à travers ses musiques et
ses écrits il nous fait partager ses visions, ses rêves et ses
espoirs d'une société transformée. *L'Influence Secrète des
Sons et de la Musique* fait partie du message que Patrick
nous livre dans l'espoir qu'un jour prochain l'homme ne
sera plus un loup pour l'homme et que l'être humain ne
sera plus le prédateur le plus féroce pour la Terre-Mère,
mais fera partie du même cri d'amour entourant notre
planète de ses ailes de lumière. C'est ainsi que j'ai compris
le message et l'œuvre de Patrick Bernard.

Patrick DROUOT
Physicien
Auteur de : *Nous sommes tous immortels* et
Guérison spirituelle et immortalité

((ॐ))

Patrick Bernard,
Thérapeute par le son,
Membre de Sound Healers Association
(Association des Guérisseurs par le Son).

Chapitre un

L'effet des vibrations sonores

« Supposons que durant des jours, des semaines, des années, nous écoutions constamment une même musique ; à la longue les mêmes émotions toujours répétées ne finiraient-elles pas par laisser une empreinte indélébile sur nos caractères et sur notre nature émotive ? »

CYRIL SCOTT
La Musique

SANS CARTE SUR UNE MER INCONNUE

L'antiquité connaissait bien le caractère thérapeutique de la musique. Elle s'en servait aussi comme transformateur moral, sachant bien que la maladie n'attaque que les terrains faibles et que la faiblesse provient le plus souvent d'une impureté morale. L'adage « la pureté fait la force » reste une vérité première. Pour être efficace, le compositeur, comme l'auditeur, a le devoir de développer un art de vivre en harmonie avec les lois de la nature, et dans le respect des véritables valeurs de l'existence. Sans un tel art de vivre, on ne crée que confusion, disharmonie et chaos. Lorsque la science des sons sera parfaitement connue et répandue en Occident, on prendra conscience des innombrables influences que de nos jours nos corps subtils et grossiers doivent subir, alors qu'on les soumet volontairement ou pas, à l'audition de quantités effarantes de bruits, de sons, de rythmes et de toutes sortes de mélodies dont on ignore totalement les effets.

> « Le compositeur en particulier, dit Cyril Scott, s'aventure sans carte sur une mer inconnue en attendant l'inspiration. Ce qu'il reçoit peut élever et inspirer, aussi bien qu'exercer une influence contraire. Sa responsabilité est grande, quoiqu'il l'ignore le plus souvent. »

Par ailleurs, les ondes de la radio ont pris aujourd'hui une telle place que l'auditeur reçoit n'importe quelle sorte de matériau musical n'importe où, n'importe quand et dans n'importe quelle circonstance. Il y a là une inconscience globale quant aux effets indélébiles des sons sur les éléments subtils de la conscience et de la mémoire. Comme tout dans l'univers, la radio n'est en soi ni bonne ni mauvaise. C'est l'utilisation qu'on en fait qui détermine la nature des effets qu'elle ne manque pas de provoquer dans l'ensemble de l'organisme.

((«ॐ»))

LIÉ PAR RÉSONANCE HARMONIQUE

Il suffit de parcourir le fameux livre de Cyril Scott, *La Musique, son influence secrète à travers les âges*, pour se rendre compte qu'à cet égard, la plus grande prudence devrait être de mise. Dans cet ouvrage, Scott analyse dans le détail les effets de la musique sur les esprits et le monde des émotions. On y apprend par exemple, à quel point la musique d'Haendel a influencé l'ère victorienne, comment « sa musique solennelle et révérencieuse éveillait, chez certains tempéraments, un sentiment grave d'un sérieux exagéré, qui trouvait son expression dans un penchant morbide pour les décors funéraires, et comment c'était là le résultat d'une fausse conception de la religion et de la vie spirituelle en général ». On y apprend encore comment Beethoven fut un musicien-psychologue, et de quelle manière son genre musical produisait des effets libérateurs sur le subconscient, à un degré poussé.

Les sons, en effet, agissent comme un stimulant, qui engendre un processus de pensée et qui libère les énergies emmagasinées dans le subconscient. Il y a de quoi être effrayé quand on applique ce système de pensée dans le monde actuel, face à certains genres musicaux particulièrement agressifs et à caractère ouvertement ténébreux. Les vibrations de la musique d'Haendel ont influencé son époque. Celles émanant des symphonies de Beethoven ont agi sur les esprits. Similairement, les vibrations violemment destructrices de certains rythmes syncopés, créent, chez les adeptes de ces genres musicaux nocifs, des réflexes subconscients qui vibrent, par le phénomène de la résonance, en sympathie avec des émotions liées à la violence et à la destruction. L'humanité a le devoir d'entreprendre des études sérieuses à ce sujet, afin d'informer les malheureuses victimes, qui ne peuvent trouver dans cette musique autre chose que ce qu'elle propose, c'est-à-dire frustration, douleur, angoisse et destruction. Chaque vibration musicale nous relie au plan d'existence qui lui correspond. Par résonance harmonique, on se trouve ainsi lié aux êtres qui peuplent ces plans subtils. Certains sont angéliques, d'autres foncièrement démoniaques. Connaître cette réalité, nous permet de choisir consciemment l'association spécifique qui correspond à la nature de nos désirs...

Certains matériaux musicaux sont nuisibles, d'autres, au contraire, ont des effets calmants et régénérateurs. S'il y a des musiques qui excitent, d'autres stimulent sans énerver. Le caractère orgiaque qui se dégage du rythme syncopé, dit Cyril Scott, rejette délibérément tout contenu spirituel et exaltant, pour provoquer une surexcitation du système nerveux et affaiblir les forces de concentration de la pensée et de contrôle de soi.

À la lumière de ces informations, on ne s'étonne plus du nombre effarant de suicides, de dépressions et de comportements de démission qui frappent notre monde actuel sclérosé par le rythme abrutissant de l'industrie lourde...

(((ॐ)))

IGNORANCE, PASSION, VERTU

D e nombreux ouvrages scientifiques ont été écrits sur la psychoacoustique auxquels on peut se référer. Malheureusement, ces livres sont souvent rédigés dans un jargon de spécialiste. Il n'est pas nécessaire, toutefois, d'être expert en la matière pour ressentir les différents effets des vibrations sonores sur le corps et l'esprit. Il suffit de fermer les yeux, de se laisser pénétrer par une énergie musicale déterminée, et d'en laisser les effets nous envahir.

Même si on ne connaît pas les secrets de la musicothérapie, de la neurologie ou de la sémantique musicale, notre voix intérieure, qui sait tout et comprend tout (certains l'appellent le bon sens...), nous dictera trois grandes conclusions selon les diverses sensations reçues.

On retrouve la trace de ces trois groupes de sensations dans le plus connu de tous les textes sanskrits : la *Bhagavad-Gita*. Ce texte à l'éternelle fraîcheur montre clairement comment l'homme est conditionné par certaines forces, ou modes (*guna*), inhérents au plan physique. Ces forces sont classées en trois grandes familles, nommées respectivement force d'ignorance (*tamas*), force de passion (*raja*) et force de vertu (*sattva*). Selon le texte, toute la nature matérielle consiste en ces trois énergies. Lorsque l'être vivant entre en contact avec la nature physique, il devient systématiquement conditionné par elles. Il est évident qu'une combinaison de ces trois modes peut influencer l'être qui a pris naissance en ce monde. Parfois, c'est un mélange de passion et d'ignorance qui le fera agir de telle ou telle manière ; d'autres fois, c'est la vertu mêlée de passion qui le poussera à poser tel ou tel acte, à dire telle ou telle parole, à composer telle ou telle musique. Quoi qu'il en soit, il apparaît que tout dans la matière, y compris la culture et les arts, est dirigé par ces énergies, et la musique n'échappe pas à cette règle. Une composition est donc toujours imprégnée, dans un sens ou dans l'autre, par les trois modes de la nature et, par conséquent, influence l'auditeur selon l'énergie correspondante. Nous allons voir comment il est possible de déceler ces énergies qui imprègnent toutes les vibrations musicales, auxquelles nous sommes si souvent exposés dans le système médiatique actuel. Que nous le voulions ou pas, que nous en soyons conscients ou pas, elles n'ont de cesse d'agir sur nos comportements, sur nos goûts, sur nos attitudes, sur nos caractères et finalement, sur nos destins. Les sensations que l'on peut ressentir, alors qu'on se trouve sous l'impact d'une énergie musicale précise, sont infinies. Toutefois, elles peuvent être classées en trois grandes familles correspondant aux trois *guna* :

1) Les énergies musicales de l'ignorance :

Telle musique me rend insolent, insensible, indifférent, inerte. Je me sens abattu, sans énergie, je deviens paresseux, inactif, léthargique. Je sombre dans la torpeur, le laisser-aller ; je manque d'entrain, d'enthousiasme. Je me sens pessimiste, négatif; plus rien n'a d'importance. J'ai l'impression d'être illusionné ou mentalement dérangé. Tout est ténébreux. La conclusion que je dois en tirer est que ces énergies musicales font naître en moi l'énergie d'ignorance ou d'inertie.

2) Les énergies musicales de la passion :

Telle musique provoque en moi une soif de désirs ardents et sans fin. Je sens grandir dans mon cœur les signes d'un grand attachement, d'ambitions égoïstes, de désirs incontrôlables. Elle provoque en moi un sentiment d'avidité. La conclusion que je dois en tirer est que ces énergies musicales font naître en moi les émotions liées au mode de la passion.

3) Les énergies musicales de la vertu :

Telle musique me calme, me relaxe sans m'endormir, me détend en me stimulant. Elle me rend plus sûr de moi et m'aide à mieux me concentrer. Elle élève mes pensées vers la beauté, la bonté, la vérité, l'honnêteté. Elle m'élève vers les réalités supérieures, vers l'amour, vers Dieu. Elle m'éclaire et me procure un sentiment de bonheur. Je sens que par toutes les portes de mon corps pénètre un flot de lumière purifiante. La conclusion que je dois en tirer est que ces énergies musicales font naître en moi la vertu.

UN POUVOIR TRANSCENDANTAL

Quelquefois, le mode de la passion devient prédominant, écartant ainsi l'influence de la vertu. À d'autres moments, c'est la vertu qui prédomine sur la passion ; et à d'autres moments encore, c'est le *guna* de l'ignorance qui triomphe de la vertu et de la passion. De cette manière, les trois énergies sont constamment en compétition. Les *Védas* montrent à quel point les trois modes de la nature matérielle sont impliqués dans toutes les activités du monde. Se délivrer du charme des trois *guna* revient à se libérer des limites que nous impose l'atmosphère matérielle. Ainsi, l'être incarné qui devient capable de transcender ces forces se libère du joug de la renaissance et de la mort, des anxiétés sans fin qui y sont liées, et jouit d'un bonheur sans mélange dans cette vie même. L'auditeur conscient de cette réalité, recherche dans son propre intérêt une écoute musicale, soit qui cultive le mode de la vertu, soit qui dépasse et transcende tout à la fois vertu, passion et ignorance.

Dans les chapitres suivants, nous verrons comment certaines énergies sonores contenues dans les vibrations de mantras spécifiques, lorsqu'ils sont chantés ou entendus, peuvent nous diriger vers un art de vivre vertueux, entraînant paix, santé, équilibre et bonheur. Nous verrons également comment le son des Noms sacrés contient une forme d'énergie (appelée en sanskrit *param shakti*, énergie interne supérieure), qui a le pouvoir de contrecarrer les effets néfastes des modes de la nature matérielle. Une musique qui supporte un pouvoir transcendantal dépassant vertu, passion et ignorance est apte à délivrer graduellement l'auditeur des chaînes qui le retiennent encore dans l'étroitesse de ces contingences physiques. Une telle musique déverrouille la porte de l'intérieur, et nous propulse vers les immensités inconcevables de la vie de l'âme.

$$(((\; ॐ \;)))$$

UNE NOUVELLE ESTHÉTIQUE MUSICALE

Nombreuses sont les personnes qui se posent la question de l'effet que peut avoir la musique sur l'être vivant. En se fondant sur les dernières réalisations des musicothérapeutes, ou par simple intuition, ils perçoivent le besoin urgent d'une réorientation de l'écriture musicale. Qu'ils soient praticiens, spécialistes, musiciens, mélomanes ou simples auditeurs, ils en sont venus à conclure qu'une nouvelle esthétique musicale s'impose. La psychoacoustique a été étudiée et mise en pratique dans plusieurs anciennes civilisations, et est vraiment sur le point de renaître et d'être appliquée dans le monde moderne. De plus en plus d'études et de recherches sont entreprises dans le but de mieux connaître les réactions de l'être humain au phénomène sonore. Dans un monde où la pollution par le son est omniprésente, et donc source de déséquilibre et de maladie, il est urgent que le son lui-même soit utilisé comme élément équilibrant et régénérateur. Aujourd'hui, être musicien ne suffit plus. Le créateur de musique a la responsabilité de prendre conscience des effets de son invention sur les individus, qui vont en subir les conséquences, qu'elles soient bonnes ou mauvaises. Il en est responsable, comme un arbre est responsable de ses fruits. Si les fruits d'un arbre sont empoisonnés, que fera le jardinier ? Avec sagesse, il coupera cet arbre dangereux et éventuellement, le jettera au feu. La grande sagesse cosmique agit de la même manière avec les sociétés et les empires. Lorsque leurs fruits ne sont plus sains, elle les élimine. Et qu'est-ce que l'art en général –et la musique en particulier – sinon le fruit le plus évident de toute la civilisation humaine, celui qui reflète le plus précisément ses désirs, ses penchants et ses états d'âme ? En considérant le point de vue qui veut que le but de l'existence soit l'élévation de l'être par l'utilisation de la science, de la philosophie et de l'art, il devient évident que l'humanité doit s'autoriser à choisir une forme musicale favorable à la vie de l'esprit et propice à sa ré harmonisation globale.

(((ॐ)))

LES REMÈDES
MÉLODIQUES DE PYTHAGORE

L a musique devrait être un baume pour le cœur. Par la suggestion de rythmes et de certaines mélodies, elle offre un remède aux agissements et aux passions humaines. Jamblique, ce théurge néoplatonicien, dit dans ses écrits que Pythagore la juge apte à contribuer grandement à la santé, quand elle est utilisée d'une manière appropriée. La guérison qui s'obtient ainsi, Pythagore la nommait purification. De cette manière, il inventa des remèdes qui devaient réprimer ou expulser les maladies du corps, tout comme celles de l'âme. Pour ses disciples, il disposa et adapta ce qu'on nomme des appareils, ou des dispositifs, concevant divinement le mélange de certaines mélodies diatoniques, chromatiques ou enharmoniques. Par leur intermédiaire, il devenait aisé de transférer, de conduire dans une direction opposée, les passions de l'âme lorsqu'elles s'étaient formées récemment et de manière irrationnelle ou cachée, à savoir la tristesse, la colère, la pitié, les appétits, l'orgueil, l'indolence et la véhémence. Il corrigeait chacune d'elles, selon les règles de la vertu, en les tempérant par des mélodies appropriées, toutes semblables à des remèdes salutaires. De même, chaque soir, lorsque ses disciples allaient se retirer pour dormir, à l'aide de certaines odes et de chants particuliers, il les libérait des perturbations et des tumultes diurnes, purifiant leurs facultés intellectuelles des flux et des reflux de la nature corporelle, obtenant ainsi que leur sommeil soit calme, leurs rêves plaisants et prophétiques. Lorsqu'à nouveau ils se levaient de leur couche, il les délivrait de leur engourdissement nocturne, du relâchement de la torpeur, par d'autres chants et par des modulations appropriées, soit en jouant seulement de la lyre, soit par l'usage de la voix humaine. Il est donc possible, selon Pythagore, de purifier le corps et l'esprit par les énergies musicales.

LE MANUSCRIT DE SU MA T'SIEN

Cette confiance dans le pouvoir transformateur des sons était aussi très répandue en Chine, où la science musicale faisait partie de l'éducation des nobles. Dans le très ancien texte des mémoires historiques de Su Ma T'sien, ouvrage qui date d'un siècle avant J.-C., on découvre que les notes justes agissent de façon bénéfique sur la conduite des hommes.

> « Les sons et la musique, c'est ce qui agite et anime les artères et les veines. Ce qui circule par les souffles vitaux et conduit le cœur à l'harmonie et à la rectitude. La note **Kong** agit sur la rate et conduit l'homme à la parfaite sainteté. La note **kio** agit sur le foie et conduit l'homme à l'harmonie de la parfaite bonté. La note **tche** agit sur le cœur et conduit l'homme à l'harmonie des rites parfaits. La note **yue** agit sur les reins et conduit l'homme à l'harmonie de la parfaite sagesse. »

À la lecture de ce manuscrit, il est clair que dans la Chine ancienne, guérir les désordres physiques par la vibration sonore était chose courante. En outre, le manuscrit de Su Ma T'sien, cité par Dane Rudhyar dans son très bel ouvrage *La Magie du ton et l'Art de la musique* nous apprend que les Chinois pensaient avec raison que toute note musicale naît du cœur. Le sentiment, dit l'ancien manuscrit, étant excité à l'intérieur, se manifeste à l'extérieur sous la forme du son. Quand les sons sont devenus beaux, c'est ce qu'on appelle les notes musicales. Ainsi donc (et c'est là où le message de l'écrit prend tout son sens), les notes d'une période troublée sont haineuses et irritées, et le gouvernement est contraire à la raison. Les notes d'un pays qui tombe en ruine sont tristes et soucieuses, et le peuple en est affligé ; les sons et les notes sont en conformité avec le gouvernement. Analysez la musique d'un peuple, d'une nation, d'une race, et vous aurez une image claire des motivations, des désirs et des priorités de la masse des individus qui forment ce peuple. Ainsi, nous pouvons dire sans nous tromper : « Dis-moi ce que tu écoutes, et je te dirai qui tu es ».

(((ॐ)))

EMPÊCHER L'EXTINCTION DU PRINCIPE CÉLESTE

L' histoire nous apprend que l'ancienne musique chinoise ne supportait pas la spéculation. Elle était réglementée par des rois nobles du cœur. Les dirigeants de cette époque avaient conscience de l'immense influence des vibrations musicales sur le comportement des peuples. Ces rois savaient qu'un mode de vie déréglé entraîne toute une société au désastre. Les arts rituels, la danse, la peinture, et surtout la musique, étaient par conséquent, et d'une certaine manière, réglementés. Cela établissait des principes modérateurs pour les hommes. La musique ne devait jamais être violente, pour ne pas provoquer la violence. Elle ne devait pas être triste pour ne pas entraîner des états d'âme en relation avec ce sentiment nuisible. Elle ne devait pas non plus supporter des sentiments de colère ou de peur, afin de ne pas inciter l'âme à la colère ou à la peur.

Les objets qui émeuvent l'homme sont en nombre infini. Si les affections et les haines de l'homme n'ont pas de règle, alors il arrivera qu'à mesure que les objets se présenteront, l'homme se transformera conformément à ces objets. Ce sera l'extinction du principe céleste qui est en lui et l'abandon complet aux passions humaines.

Dans l'ancienne Chine, la musique se devait d'unifier le corps, le cœur et l'esprit, et non pas (comme c'est trop souvent le cas depuis que la musique est utilisé de façon anarchique), désunir. Cette dispersion du corps physique, du corps émotionnel et du corps mental provoque de graves déséquilibres, qui entraînent des dérapages sociologiques fatals. De tout temps, il a été nécessaire que de nouveaux compositeurs créent des formes musicales qui unissent les sentiments et produisent le calme. Ils nous aident ainsi à redécouvrir notre véritable identité spirituelle et empêchent l'extinction du principe céleste dans nos sociétés. La musique est capable de perfectionner le cœur. C'est un objet d'enseignement, car elle émeut profondément et produit le changement des coutumes et la transformation des mœurs. Les anciens rois chinois veillaient, par conséquent, à ce qu'elle soit conforme à la mesure et au nombre. Ce qui n'est pas l'introduction d'une austérité sombre et sèche. Car la musique produit la joie. Mais la joie manifestée sans art de vivre, entraîne le désordre. Le plaisir sensuel, par exemple, lorsqu'il ne connaît pas de limite, lorsqu'il n'est pas contrôlé par la conscience, ne peut que produire des dérèglements cellulaires et d'incurables maladies. C'est pourquoi l'ancienne Chine détermina une règle, un art de vivre, et fit que les sons soient suffisants pour créer le plaisir, sans aller jusqu'au relâchement. Tous ceux qui instituèrent la musique avaient pour but une joie modérée. Réprimer les excès, adoucir les mœurs, a toujours été le but recherché par les compositeurs de musique qui visaient le travail intérieur et l'expansion de la conscience.

Ce travail de modération, de maîtrise, d'adoucissement et d'expansion se fait toujours mieux dans la simplicité.

UNE MUSIQUE
SIMPLE QUI PARLE À L'ÂME

La grande musique est toujours simple. Si elle ne l'est pas, si elle est trop sophistiquée, elle ne nous émeut pas et le travail de transformation ne se fait pas. Tout ce qui se passe alors n'est qu'une sorte d'excitation intellectuelle stérile et décourageante. Dans *L'Invitation à la musique*, Roland de Candé dit à ce sujet :

> *« La grande musique d'aujourd'hui est beaucoup plus difficile à jouer que celle des autres époques. Un pianiste amateur moyen ne peut jouer aucune œuvre de Boulez ou Stockhausen, ni même Schönberg ou Webern. Une partie de la musique d'aujourd'hui est même si difficile qu'elle exige des interprètes spécialisés. Je ne dis pas que c'est bien ou mal. C'est un fait tout à fait extraordinaire. Des musiques si difficiles aujourd'hui ne peuvent être classiques demain. »*

En conséquence, si nous voulons avoir une réponse émotive et ressentir les effets transformateurs des énergies musicales, nous rechercherons un art de vivre harmonieux et une musique qui ne fait pas appel à l'analyse intellectuelle, mais qui au contraire, touche directement le fond du cœur, une musique qui, tout simplement, parle directement à l'âme.

VOUS AVEZ DIT PUBLICITAIRE ?

Que se passe-t-il lorsque l'on entend de la musique ? Celle-ci agit sur nous de manière bénéfique ou non, de manière stimulante ou endormante. Elle peut être musique de fond, à laquelle on ne porte pas attention, mais qui agit insidieusement sur l'ensemble de notre système nerveux. Nous pénétrons, par exemple, dans un magasin. Les haut-parleurs diffusent de la musique, mais nous ne nous y intéressons pas; nous l'ignorons. Nous nous dirigeons directement vers le rayonnage qui nous concerne sans y prendre garde. Mais cette musique ne nous ignore pas. Elle s'intéresse à nous. Elle s'introduit sournoisement par ce que le savant Thomas Zébério appellerait les interstices « vorticiens », qui sont en fait les centres électromagnétiques de notre corps. Par ces centres, cette musique se répand et remplit sa mission : rompre nos mécanismes de défense et promouvoir la vente de produits dont nous n'avons pas vraiment besoin. Notre discernement s'endort, et nous voilà en train de remplir inconsciemment notre sac à provisions de toutes sortes d'articles superflus. Telle est la fonction de la musique publicitaire.

On trouve, dans le manuel de musicothérapie de Rolando Benenzon, une expérience du physiologue italien Patria, qui fit des expérimentations historiques et put déterminer l'influence de telle ou telle combinaison de sons sur la circulation sanguine du cerveau. Il essaya entre autres des musiques militaires, comme « La Marseillaise », et put constater que la circulation du sang dans le cerveau augmentait à l'écoute de cette marche militaire. De toute évidence, la musique – qu'elle soit publicitaire ou militaire – agit sur l'ensemble de nos cellules. Comme le remarque Ralph Tegtmeier dans son *Guide des musiques nouvelles* :

> *« Nous ne cherchons généralement pas à entretenir avec la musique des rapports parfaitement conscients. Elle est pour nous source de liberté, souvent peut-être la seule liberté que nous connaissions vraiment, et c'est bien pourquoi nous la surestimons. Dès ce moment, nous devenons incapables de méfiance, inaptes à nous protéger efficacement de l'abus qui peut en être fait. »*

UN ÉTAT DE VIGILANCE

Il existe un autre cheminement : celui d'être constamment à l'écoute des énergies musicales qui gravitent autour de nous, nous pénètrent et nous suggestionnent, nous soumettant ainsi à leurs influences. Ce cheminement est un état de vigilance, une attitude de guerrier dont le champ de bataille est le corps et le cœur humains. Le mot cœur désigne ici le cœur subtil, qui est situé un peu en arrière du cœur physique. C'est dans ce véritable petit ordinateur organique que sont reçues les forces émotives et sensitives de la musique. Il est souvent nécessaire d'être extrêmement vigilant et constamment sur ses gardes pour se protéger, ou pouvoir au contraire profiter des effets de toutes les énergies musicales et de toutes sortes de sons, qui saturent l'environnement de notre époque. Dans son manuel de musicothérapie, le professeur Benenzon, pédopsychiatre, se demande :

« Quels changements sont en cours dans les mécanismes enzymatiques, avec le développement incroyable des sons dans notre civilisation actuelle ?

Nous l'ignorons encore, mais vraisemblablement, ils n'annoncent rien de bon pour l'avenir. »

Nous sommes dans l'obligation de reconnaître que la grande majorité des sons produits par « l'âge de la machine » – qu'on les désigne comme musicaux ou non – provoque chez l'adulte comme chez l'enfant, des troubles fonctionnels alarmants et peuvent être mis sans hésitation dans la catégorie des sons nuisibles à la santé et à l'évolution. Mais est-on conscient des effets à court terme des sons sur notre organisme ? Sans méfiance, nous absorbons à longueur d'année toutes sortes de rythmes, de formations d'accords, de mélodies et d'harmonies qui se répètent *ad infinitum*. Savons-nous qu'une même musique, répétée pendant des jours et des mois, produit des émotions qui finissent par tracer un sillon ineffaçable sur nos tempéraments, et influence ainsi le cours de notre vie ? Avant de prendre conscience définitivement des effets de la musique sur notre esprit, demandons-nous jusqu'à quel point les sons influencent le corps physique.

DES VACHES QUI AIMENT MOZART

Dans les milieux scientifiques, il est de règle d'observer les résultats des différentes expérimentations d'abord sur les plantes et sur les animaux. Lorsque les effets sur la faune et sur la flore sont évidents, il convient ensuite de les appliquer sur l'homme. Suivons cette intégrité scientifique et mentionnons le fait suivant, étudié par le professeur Benenzon :

> *« Un fermier de l'Illinois (États-Unis) plaça dans deux serres les mêmes semences dans des conditions identiques de fertilité, d'humidité et de température; mais dans l'une, il plaça un haut-parleur qui diffusait de la musique vingt-quatre heures sur vingt-quatre. Au bout d'un certain temps, il vit que dans le châssis où il y avait la musique, le maïs avait germé plus rapidement, le poids des grains était plus grand, et le quotient de fertilité de la terre avait augmenté; les plantes les plus proches du haut-parleur étaient abîmées sous l'effet de la vibration du son. Le succès fut si grand qu'actuellement au Canada, on utilise la musique pour des exploitations et l'on observe ainsi que les vibrations du son détruisent un micro-organisme (parasite), qui attaquait le maïs. En médecine vétérinaire, on dit en plaisantant que les*

vaches aiment Mozart et qu'en revanche Wagner ou le jazz gênent la production de lait. Mais dans les centres nord-américains, on étudie sérieusement le problème. Une statistique de l'Illinois montre que le rendement des vaches dans les étables voisines des aéroports où il y a des avions à réaction diminue jusqu'à devenir nul, en raison des bruits. »

On ne peut plus ignorer la puissance des effets du son quel qu'il soit sur la vie en général. La musique agit sur les plantes, sur les animaux, sur les êtres humains. Elle les conditionne à se comporter de telle ou telle manière. Elle les « programme » dans un sens ou dans un autre. L'utilisation de vibrations sonores mélodiques et rythmiques est une méthode ancestrale pratiquée depuis des temps immémoriaux pour maintenir ou transformer le niveau de conscience, et par suite, obtenir un rééquilibre du corps et de l'esprit.

UN FLOT D'ÉCLABOUSSURES

S i vous plongez un diapason vibrant exactement à 440 cycles par seconde dans un verre d'eau, vous allez vous faire mouiller parce que le diapason, au contact de l'eau, produit un flot d'éclaboussures. Depuis longtemps, le diapason a été largement remplacé dans les laboratoires par des générateurs de son électroniques, qui sont devenus des instruments de psychophysiques. Si les vibrations d'un simple diapason peuvent soulever un flot d'éclaboussures, quelle est la force des vibrations émanant d'un orchestre symphonique ou d'un enregistrement de musique rock ?

De toute évidence, il se dégage de toute source musicale une force mesurable, quantifiable, qui nous influence et qui nous dirige. Que nous le voulions ou non, que nous en soyons conscients ou non, cette force vibratoire nous pénètre. Elle s'introduit en nous, se dépose sur chacune de nos cellules, et libère son pouvoir destructeur ou créateur, bénéfique ou maléfique. Telle musique a le pouvoir de nous rendre agressifs ; telle autre a le pouvoir de nous rendre bienveillants. Comme l'électricité peut produire du froid ou du chaud, la musique peut enclencher un processus de paix, ou déclencher une économie de guerre. C'est une énergie neutre ; le reste nous appartient. C'est à nous d'être responsables de nos désirs, et de savoir ce que nous voulons vraiment. Voulons-nous être violents ? Écoutons de la musique qui nous semble violente. Voulons-nous connaître la paix ? Prenons un bain de musique qui nous paraît douce et paisible. Nous avons le choix : nous abreuver de vibrations lourdes et violentes ou bien nous nourrir d'ondes pures et de hautes fréquences. Hélène Caya, à la fin de son livre *Du son jaillit la lumière*, affirme : « Plus la musique est douce, plus l'amour passe ». Et cette douceur n'exclut pas la force.

((« ॐ »))

UNE QUESTION DE LIBRE ARBITRE

L a véritable force n'est pas une excitation momentanée, où les réserves de l'organisme tout entier sont brûlées. C'est au contraire une énergie douce, irrésistible, lumineuse et puissante. À ce niveau, rien n'est bon, rien n'est mauvais. C'est à chacun de savoir ce qu'il veut obtenir par l'audition d'une énergie musicale particulière, et de développer suffisamment sa sensibilité, de manière à ressentir les effets sur son propre corps et dans son propre esprit. Il suffit d'être à l'écoute, de ne pas subir aveuglément l'influence de vibrations, et d'examiner nos réactions lorsque les ondes invisibles d'une musique nous touchent. Sommes-nous énervés ? Sommes-nous calmes ? Voulons-nous rester dans un état d'énervement ? Après analyse, une décision s'impose. Si nous jugeons que telle ou telle onde musicale produit en nous des effets qui nous sont néfastes, qui entraînent fatigue nerveuse, manque de concentration ou agressivité, rien ne nous empêche d'en supprimer la source, quand cela est possible. Rien ne nous empêche d'éteindre la radio ou la télévision, ou de changer de programme. Rien ne nous empêche de quitter le lieu où est jouée une forme musicale que nous jugeons inadéquate. C'est une question de libre arbitre.

MUSIQUE ET DESTIN

On prend rapidement conscience du fait suivant : les mêmes émotions et sentiments sont toujours provoqués par les mêmes compositions ou par des arrangements harmoniques et rythmiques de nature identique. C'est bien là que réside la plus grande menace, ou la plus grande opportunité. Par la musique, certains sentiments sont éveillés, et l'expérience est renouvelée de nombreuses fois. Ces émotions créent des habitudes, et ces habitudes dessinent le caractère. C'est le caractère d'un individu qui est le créateur de son destin.

La nature essentielle de nos musiques s'imprime irrémédiablement dans nos mœurs, dans nos gestes, dans nos comportements. L'axiome le dit : « Ainsi dans la musique, de même dans la vie ».

(((ॐ)))

L'ENNEMI #1 DE LA SANTÉ : LE BRUIT

Selon la définition musicale la plus largement acceptée, le bruit peut être défini comme un son qui, lorsqu'il atteint un certain degré d'intensité, fait baisser la réserve d'énergie du corps. Pour certains, être bruyant c'est être puissant. Voilà pourquoi le bruit est devenu le fléau du siècle. Pour un pays industrialisé d'environ 50 millions d'habitants, le coût en termes de santé du bruit atteint 5 milliards de dollars, la même dépense que pour contrer les effets nocifs du tabagisme... Le bruit est responsable de 11% des accidents de travail et de 15% des journées perdues.

Ces pourcentages sont probablement au-dessous de la réalité, car bien des malades ne peuvent déterminer la cause de leurs malaises. De plus, bon nombre de médecins n'ont pas encore totalement pris connaissance des blessures cellulaires et psychologiques provoquées par ces sirènes antivol au déclenchement intempestif, ces motocyclettes au silencieux trafiqué, ces marteaux piqueurs agressifs, ces voitures de police, de pompiers ou ces ambulances au hurlement dévastateur, ces amplificateurs de son poussés jusqu'à la limite du supportable. Sans parler des appels stridents et soudains des téléphones et de ces avertisseurs de voiture qui nous fracassent les oreilles et qui sont les tristes et terribles compagnons de nos vies urbaines

Le bruit est en outre la cause de près du quart des maladies mentales. En ébranlant jusqu'au déséquilibre, le bruit agresse sournoisement le système nerveux et provoque fatigue, vertiges, ulcères, troubles cardio-vasculaires, troubles de comportement, troubles hormonaux, déprimes, quand il ne rend pas fou. Quatre maux de tête sur cinq sont dus au bruit, et coûtent 8 millions de dollars par jour à la collectivité. Dans les zones urbaines très bruyantes, la consommation de tranquillisants est beaucoup plus importante que la moyenne. Obsessionnel, le bruit conduit souvent au suicide, au meurtre ou au divorce en entraînant des modifications du caractère. Il n'y a pas d'accoutumance physiologique au bruit ; en d'autres mots, l'organisme le subit sans s'y habituer.

LE DÉCIBEL-ANTIDOTE :
LE CHANT DE LA NATURE

L'antidote à ces bruits apocalyptiques se trouve dans la nature. La musique de la nature est la voie la plus facile pour atteindre le jardin abstrait de l'immanence et de l'harmonie solaire. Lorsqu'on devient plus sensible à la beauté de tout ce qui murmure et chante dans la création, de grands espaces s'ouvrent en nous et l'on se sent plus proche de l'intelligence universelle qui règne à l'intérieur des éléments. Il s'ensuit une harmonisation de toutes les cellules du corps. Cet état provoque une sensation incomparable qui est à même de guérir toutes les modifications de la structure de l'organisme, ou lésions, causées par le bruit. Une cascade peut faire plus de bruit qu'un moteur à explosion, mais si l'un épuise, l'autre soulage. Le grondement des vagues de l'océan n'est pas moins assourdissant que les 90 ou 100 décibels d'une rue à trafic intense, mais il repose. Il n'y a pas que le mugissement de la mer et l'intense bourdonnement du trafic urbain qui soient égaux en nombre de décibels. À puissance égale, un morceau de rock lourd semblera bien plus intense qu'un concerto de Mozart, alors qu'ils produiront et émettront le même nombre de décibels. Rappelons que le décibel (dB) est l'unité scientifique de mesure du son ; *déci*, pour un dixième et *bel*, d'après Alexandre Graham Bell, inventeur du téléphone. Un son dix fois plus fort qu'un autre est dit avoir une intensité de dix décibels plus élevée, et chaque fois qu'on augmente de dix fois l'intensité, on ajoute dix décibels au niveau du son. Un son mille fois plus intense qu'un autre est 30 décibels plus fort; un son cent mille fois plus intense est 50 décibels plus fort, etc.

Voilà ce qu'écrivent S.S. Stevens et Fred Warnshofsky à propos des ondes sonores du milieu aérien dans leur étude sur le son et l'audition (*Le Monde des sciences*, collection Time Life) :

> « *Le décibel fournit une relation approximative entre l'intensité physique du son et l'intensité subjective de la sensation sonore qu'il produit. Pour mesurer les sons de la vie quotidienne, un niveau de zéro décibel représente le son le plus faible audible par une oreille moyenne. Les sons deviennent physiquement douloureux au-dessus de 130 décibels.* »

QUAND LA MUSIQUE REND SOURD

Maintenant, prenons un appareil de mesure et rendons-nous dans une discothèque où les sonorisations sont poussées à l'extrême. L'appareil enregistre volontiers des pointes jusqu'à 120, 130 et même 140 dB ! Le seuil de la douleur est dépassé et des lésions sont à craindre. Le i-pod s'écoute souvent à haute intensité et sur une longue période de temps. Il fait des ravages. En France, le Conseil de Révision de l'armée note d'année en année une détérioration du niveau de l'ouïe des nouvelles générations.

Richard Cannavo – dans une enquête sur la musique qui rend sourd et sur la guerre du bruit – explique que l'état auditif des musiciens eux-mêmes serait une bonne indication des effets d'une intensité sonore trop élevée. Ainsi, dit-il, « sur 43 professionnels suivis par des scientifiques, la perte moyenne s'élevait à 20 dB au bout de six ans d'activité ». Même les musiciens de musique classique doivent être prudents. Des spécialistes qui ont examiné les 110 musiciens de l'Orchestre de Suisse Romande affirment que près de la moitié présente une audition perturbée, et 30% subissent bourdonnements d'oreilles ou même vertiges.

(((ૐ)))

HYPERTROPHIE SONORE ET DÉGÉNÉRESCENCE

S elon l'Organisation Mondiale de la Santé, vers l'an 2012 le nombre des malentendants augmentera de 30 pour cent. C'est ce qui fait dire à Richard Cannavo : « Un comble, tout de même. À l'ère de la musique reine, de la musique omniprésente, de la musique universelle, voici venir la génération des enfants sourds » ! Selon un rapport de l'institut de technologie de Leeds, près d'un million d'adolescents anglais seraient atteints de troubles de l'audition par la faute d'une écoute inconsidérée de musique à pleine puissance. On constate que ce qu'il convient d'appeler l'hypertrophie sonore est, pour une large part, à l'origine d'un vieillissement prématuré des structures de l'oreille interne. Le docteur Claude Illouz, assistant à la Fondation Rothschild Manin, explique que le niveau d'intensité et la durée d'écoute sont étroitement liés dans le mécanisme de dégénérescence. Il suffit en effet d'une vibration de durée très brève, si elle s'avère de très forte intensité, pour déterminer un traumatisme sonore. À l'inverse, un bruit très prolongé peut entraîner des lésions définitives, même s'il est relativement peu intense. Notons que les intensités maximales produites par les systèmes d'amplification actuels dépassent souvent de loin 120 dB, surtout dans les graves ! Quand on prend conscience que les concerts durent parfois deux heures, il devient facile de comprendre pourquoi tant de personnes, à l'heure actuelle, souffrent de malaises auditifs considérables.

Le problème réside surtout dans le fait que l'on ne se rend pas vraiment compte de sa surdité naissante. On peut dire avec certitude que tous les résidents des grandes cités modernes souffrent d'hypertrophie sonore, avec tous les déséquilibres que cela comporte au niveau cellulaire. Pour prévenir et soulager cette maladie sournoise et rarement diagnostiquée, ce ne sont pas uniquement des tranquillisants chimiques qu'il faudrait ordonner comme la médecine d'école le fait encore si souvent pour promouvoir tel ou tel médicament à la mode. La nouvelle ordonnance devrait plutôt être constituée de cures de silence, de promenades dans la nature avec chants d'oiseaux et clapotis de ruisseaux. J'ajoute à toutes fins utiles que ces sonorités douces et mélodieuses sont particulièrement efficaces pour soulager les troubles de comportement causés par les maladies de civilisation. Les musiques de relaxation basées sur des études sérieuses, les chants méditatifs inspirés ainsi que toutes vibrations sonores susceptibles de guérir les malaises liés à la surexposition au bruit, devraient également être prescrits.

Afin de percevoir le chant des atomes, chant ou énergie électromagnétique subtil appartenant au spectre de la vie, l'homme actuel devrait cesser de « faire du bruit ». Sans cet acte volontaire, il restera sourd aux vibrations de son âme intemporelle. Dans « Psychophysiologie et psychophonie » (*L'Homme sonore*, Épi Éditeurs, Paris, 1977), Marie-Louise Aucher écrit :

> *« Qui a vu une petite souris blanche soumise quelques secondes à une sirène intense faire une crise épileptique audiogène qui est mortelle chez les sujets sensibles, a compris que le bruit n'est pas qu'une sensation gênante à laquelle on s'habitue ou une source de surdité professionnelle, mais le grand facteur de déséquilibre nerveux dans le monde moderne. L'effet convulsivant s'accompagne d'une perturbation générale au niveau de tous les viscères et de troubles névrotiques. Le psycho physiologiste l'explique en localisant l'action des bruits dans les centres régulateurs et unificateurs du tronc cérébral, ces centres de la sagesse du corps (y compris par le cerveau de l'esprit) qui deviennent centres de la folie du corps. »*

Je veux croire que dans un proche futur, les nouveaux médecins seront plus intéressés au bien-être des malades qu'à la croissance de l'industrie des anti-dépresseurs. L'Influence Secrète des Sons et de la Musique, contrairement aux médicaments analgésiques, n'est pas en contradiction avec le serment d'Hippocrate...

(((ॐ)))

LA MUSIQUE INFLUENCE NOS SENTIMENTS

J oseph Stuessy, professeur de musique à l'Université du Texas à San Antonio, fait cette mise en garde :

> « *Toute musique, quelle qu'elle soit, influence notre humeur, nos sentiments, nos attitudes, et le comportement qui en résulte.* »

On trouve dans le *Cantique des Cantiques* – ce récit biblique qui est l'un des plus beaux chants d'amour jamais écrits – l'histoire d'une belle Sulamite et de son amour pour un jeune berger. Leur union est menacée par le roi Salomon, qui met en évidence toute sa sagesse et toute sa gloire pour essayer de ravir le cœur de la jeune femme, mais en vain. Désireuse de demeurer fidèle à son berger, la Sulamite presse ses compagnes de ne pas éveiller en elle l'attrait pour le roi qui cherche à gagner son cœur. (*Cantiques des Cantiques*, 2.7). Elle sait par intuition que les propos qui visent la glorification du roi risquent d'exercer sur elle une influence et d'altérer ses sentiments. Elle refuse donc catégoriquement de les écouter. Elle ne veut pas les entendre. Elle est consciente que certaines paroles pourraient avoir le pouvoir de transformer ses désirs, et que le comportement qui résulterait d'une telle écoute ne manquerait pas d'entrer en conflit avec son véritable sentiment.

Que penser de cette attitude, et du précieux enseignement qu'elle supporte, à l'égard de la musique chantée, qui constitue l'essentiel des programmes radiophoniques actuels et dont nos oreilles sont littéralement saturées jour et nuit ? Quel que soit leur genre musical, la plupart des chansons dites « commerciales » remportent un grand succès auprès d'un très large public souvent ignorant des effets à long terme d'une telle écoute. Ces chansons sont diffusées jusqu'à six fois par jour, créant ainsi impression sur impression, influence sur influence, et force sur force dans le mental de l'auditeur. Inutile de préciser qu'un tel bombardement sonore creuse un sillon profond dans le cerveau, et que les désirs qui en découlent sont directement liés au sens et à l'intention qu'auteurs, compositeurs et interprètes ont voulu, consciemment ou non, injecter dans leur création.

Il ne faudrait surtout pas conclure hâtivement que toutes les musiques chantées sont nuisibles ! Il est indéniable que les créateurs nous proposent quelquefois des textes qui inspirent l'être intime, et des rythmes qui élèvent et stimulent les énergies du corps. L'effet cumulatif de ces mélodies hautement inspirées est alors bénéfique. Toutes les chansons populaires qui portent d'authentiques sentiments, et ne sont pas tout bêtement une récitation machinale sur laquelle on a surajouté quelques accords, ont tendance à réhabiliter la paix et l'harmonie de l'âme. Toutefois il y a de quoi s'inquiéter quand on prend connaissance des textes violemment suggestifs de certains « succès ». Ici encore, c'est à chacun d'avoir suffisamment de discrimination pour faire la part des choses. Il est évident que la nourriture de l'un est le poison de l'autre... Ces textes chantés – ou hurlés – sont parfois directs dans leurs intentions. Ils ne suggèrent pas, mais proposent directement, à qui veut bien les écouter, des clameurs d'angoisse et des cris d'agonie. Quels ravages ces sons créent dans les esprits !

Heureusement, rien n'est définitif, et toute anomalie peut être corrigée ; « aucune damnation n'est éternelle ». L'être vivant a toujours le privilège de se réformer et de se diriger vers des influences reliées au plan divin, ou tout au moins aux forces vertueuses de la nature. Mais le mal est fait. Bien que ce prétendu mal puisse éventuellement devenir un bien au sens évolutif – puisque tout obstacle n'est en fait qu'un tremplin – il reste que les réactions sociologiques causées par ces influences néfastes seront fortement teintées de violence, de basse sensualité et de nihilisme dépressif. Ainsi, l'équilibre ou le déséquilibre des sociétés est le fruit direct des musiques qu'elles créent et qu'elles encouragent, et non l'inverse. Lorsque le thème musical et le texte chanté provoquent la joie, l'espoir, l'assurance saine ou encore, l'amour sans attente, il n'y a alors aucune contre-indication, et l'esprit en est favorablement influencé.

LES RITES DE PASSAGE
ET LE SENS PERDU DU RITUEL

L ors d'une récente conversation avec l'éditeur de la revue *The Quest*, Don Campbell – fondateur de l'Institut pour la musique, la Santé et l'Éducation, et auteur du livre *Introduction to the Musical Brain* – a parlé de la musique rock en tant que stimulation sonore :

« Ayant travaillé avec de nombreux enfants souffrant de graves retards intellectuels, j'ai remarqué l'utilisation de médicaments paradoxologiques. On donne à un enfant hyperactif du Ritalin. Quiconque connaît ce médicament sait qu'il accélère le système neurologique et que ce n'est pas un produit relaxant, à moins que le sujet qui l'absorbe soit d'ores et déjà hyperactif. Par conséquent, en faisant prendre à un enfant hyperactif cette drogue (ce que je ne préconise pas), les médecins arrivent à le calmer. Tel est le paradoxe qui s'avère également vrai dans le domaine de la musique. Nous évoluons dans une société où la jeune génération n'a pas de rite de passage (cérémonie destinée à aider l'individu à surmonter une crise provoquée par un changement de ses caractères physiologiques ou sociaux). Mon grand-père et même mon père n'avaient nullement besoin de cette sorte de stimulation sonore qu'est la musique rock – que requiert la jeunesse d'aujourd'hui – parce qu'après l'école, ils travaillaient dans les champs durant deux heures. Ils avaient par conséquent le rythme dans le corps ; ils travaillaient près de la nature et étaient capables de se régénérer et de se ressourcer à travers leur propre modèle rythmique. Éventuellement, les nouvelles formes de musique violemment rythmées (hard rock, hard core, etc.) peuvent nous sembler horriblement difficiles à supporter. Elles peuvent même représenter une *certaine forme de menace pour certains d'entre nous, qui ne trouvons en elles aucun intérêt esthétique. Pourtant, physiologiquement, nous commençons à comprendre que ces genres musicaux travaillent en réalité d'une manière paradoxale et aident ceux qui en sont amateurs à trouver un appui, une base, à se relier à quelque chose, à libérer leur stress, et à leur procurer un sens réel d'un bien-être intérieur dans la mesure où le système de société actuel ne leur apporte aucune sorte d'échange véritablement physique qui se rapporte au rythme spirituel essentiel, comme il en a été depuis toujours au sein des sociétés non-occidentales. »*

Retrouvons donc le sens du rituel, le sens de la cérémonie, le sens du sacré, et nous ne sentirons plus le besoin des défoulements sonores dévastateurs. Les penseurs du monde moderne se demandent parfois pourquoi la société propose tant de divertissements à caractère pervers et violent. On ne compte plus les films d'horreur, pornographiques, et les établissements où la consommation de stupéfiants de toutes sortes est tolérée, toutes ces activités ayant comme support systématique des bandes sonores fortement agressantes. Les propos de Don Campbell portent en eux une réponse. L'absence totale de rites de passage dans la société actuelle a tendance à provoquer, chez ceux qui en sont victimes, la nécessité de compenser cette lacune sociologique essentielle.

(((ॐ)))

QUELLE MUSIQUE
EST BONNE À ÉCOUTER ?

Dans les pages de son ouvrage d'information, *Your Body does'nt Lie*, le docteur John Diamond partage le fruit de ses recherches – découvertes qui viennent corroborer celles de nombreux chercheurs – quant aux effets de la musique sur les plantes et sur l'organisme humain. Il a eu l'idée de mesurer la réaction musculaire chez les patients soumis à l'audition de différents types de musique.

Il écrit dans le compte rendu de ses expériences :

« Après avoir mis sous observation des centaines de sujets, j'en suis venu à la conclusion qu'écouter fréquemment de la musique fortement rythmée et syncopée provoque un affaiblissement général de tout le système musculaire. La pression normale requise pour dominer un muscle deltoïde (muscle de l'épaule, de forme triangulaire, élévateur du bras) de

forte constitution, chez un adulte est d'environ 40 à 45 livres. Lorsque les mesures sont prises alors que le sujet l'entend, une pression de seulement 10 à 15 livres est nécessaire. Chaque muscle important est relié à un organe. Cela signifie que tous les organes de notre corps sont affectés par une large proportion des musiques populaires auxquelles nous sommes exposés chaque jour. Si nous additionnons les heures durant lesquelles ces musiques sont diffusées partout dans le monde à l'heure actuelle, on ne peut que réaliser l'énormité du problème. Le rythme anormal de la pulsation de la « musique » hard-rock (rythme anapestique – da-da-Da) et le volume du niveau-bruit combinés ensemble occasionnent une faiblesse générale de tout l'organisme. Une musique nuisible diminue l'énergie physique quel que soit le volume auquel elle est écoutée. »

D'autres recherches en clinique ont montré qu'avec le rythme anapestique, le corps tout entier est plongé dans une sorte d'état d'alerte. Cet état provoque une diminution de l'attention, ainsi que de l'hyperactivité, de l'inquiétude, de la nervosité et une constante agitation. Il devient difficile de prendre des décisions, et le sentiment que les choses ne vont pas comme elles devraient aller s'installe. S'ensuit une perte d'énergie sans aucune raison apparente.

Après une telle mise en garde de la part d'un médecin, on est en droit de se demander si l'une des musiques les plus diffusées dans les pays industrialisés ne représente pas la plus grande source de désordre cellulaire. Les nouvelles maladies dites « de civilisation » sont toujours causées par la pollution. Pollution chimique, pollution psychologique et désormais... pollution sonore.

Pour terminer, on ne peut passer sous silence le livre de Hal A. Lingerman, *The Healing Energies of Music*, dans lequel on lit :

> *« La musique destructrice provoque des dommages non seulement dans votre corps physique, mais aussi dans votre corps émotionnel et mental. De tels sons affectent entièrement votre aura, et font naître en vous, le sentiment d'être psychologiquement déchiré, fragmenté, inquiet, isolé, agressif, tendu et sans le moindre but. De telles musiques disperseront vos plans, elles obscurciront vos buts. Par-dessus tout, la musique discordante vous éloignera de votre guide intérieur, vous séparant de l'union constante avec votre Créateur, vous laissant dans un sentiment de totale solitude. Enfin, de telles sonorités vous exposeront à être contrôlé par de nombreuses vibrations négatives extrêmement puissantes et dangereuses. »*

LES MUSIQUES QUI CALMENT

Il est urgent de saisir à quel point la musique rituelle, sacrée, méditative ou dévotionnelle peut nous guérir et offrir une solution efficace au dérèglement et au déséquilibre dont souffre la civilisation humaine, en nous aidant à redécouvrir la voix de l'âme et en nous guidant vers les sphères supérieures de la vie, qui représentent notre terre d'origine, quelle que soit notre race ou notre appartenance religieuse. Son véritable rôle se dévoile alors et on découvre la musique de l'âme. Celle-ci relie les êtres vivants entre eux, en leur faisant découvrir leur véritable identité spirituelle. Enfin, elle permet d'établir une relation entre l'être intime et le Tout Complet, dont elle est partie intégrante et dont elle possède les qualités, en dehors de toute considération limitative de temps et d'espace.

Quoi qu'il en soit, il n'est pas facile d'être sélectif dans ce que nous écoutons aujourd'hui, car la musique est omniprésente : dans les rues, dans les boutiques, dans les banques, les transports en commun, au bureau, à la maison, partout. On peut dire que l'on assiste, impuissants, au comble de la désinvolture. Étant un des moyens les plus puissants de transformation des mœurs, elle est utilisée n'importe où, par n'importe qui et n'importe comment ! Mais ce qui est encore plus alarmant, c'est de constater que le volume sonore devient de plus en plus fort. Que ce soit dans les immenses salles de concert, ou de par l'explosion du célèbre i-pod, la puissance des décibels est sauvagement libérée.

Certains médecins tirent la sonnette d'alarme et l'on assiste par bonheur au contrecoup du bruit : de plus en plus d'amateurs se tournent vers des musiques plus acoustiques, plus douces, plus éthérées, démontrant ainsi que le chant de la nature est celui qui plaît le plus à l'âme.

Le maître Mikhaël Aïvanhov dit dans ses conférences :

« La musique ordinaire éveille les passions humaines. Ainsi, dès qu'elle commence à jouer, on se sent poussé à commettre des bêtises ; on devient un peu fou. Des jeunes gens me l'ont avoué. En l'entendant, ils deviennent prêts à se jeter dans n'importe quelle aventure. Cette musique excite ; elle rend fou. Quand arrivera-t-on à la musique qui lie au monde spirituel, qui calme, apaise et inspire ? »

Les musiques qui calment, apaisent et inspirent peuvent soulager le monde. Nulle parole ne peut leur être comparée. Quand on s'adresse à nous, on nous invite à être honnêtes, bons, et à ne pas faire aux autres ce qu'on ne voudrait pas qu'ils nous fassent. Mais ces mots ne pénètrent pas forcément jusqu'à l'âme humaine. Ils restent souvent en surface et sont par conséquent inefficaces. De cette manière, nous ne pouvons intégrer dans notre vie les concepts qu'ils représentent. Par contre, la musique qui calme et qui apaise produit une image dans la pensée et cette image entre dans les profondeurs de la psyché. Nous désirons alors réaliser, en nous et autour de nous, cette image de santé, de beauté, de paix, de bonté et de pureté que nous avons perçue. Nous prenons la décision de vivre ce qui n'était resté qu'à la superficie de notre être.

La musique instrumentale, de même que le chant méditatif, représente une vibration qui offre l'avantage de n'être pas exprimée par des mots compréhensibles, susceptibles d'éveiller l'esprit de contradiction. Dans l'état de paix mentale, l'esprit d'opposition n'a pas l'occasion de s'affirmer. C'est ainsi que l'écoute d'une vibration sonore suggérant des qualités physiques ou morales peut faciliter l'acquisition de ces qualités.

(((ॐ)))

AUDITION ET ALIMENTATION

E st-il possible de modifier ou de perfectionner son audition en améliorant sa façon de s'alimenter ? Il semble que oui.

Aveline et Michio Kushi, conférenciers recherchés et auteurs du livre *Grossesse macrobiotique et Soins au nouveau-né*, font mention dans leurs études que les oreilles des nouveau-nés qui sont petites, pointues en haut et plutôt situées vers le haut de la tête, sont le signe d'un excès de protéines d'origine animale consommées pendant la grossesse. Or, le pavillon – la partie visible de l'oreille – lorsqu'il n'est pas suffisamment développé, ne peut concentrer le son et l'orienter vers l'entrée du conduit auditif de manière parfaite, ce qui diminue sensiblement le rassemblement des ondes vers la membrane extrêmement tendue du tympan. L'importance du développement de l'oreille externe est démontrée dans la nature par un petit renard des sables – le fennec – qui hante le Sahara la nuit. Ses pavillons géants lui servent à recueillir les sons les plus faibles, qui sont produits dans l'obscurité par ses proies.

On voit, d'une part (par l'exemple du renard des sables), que le développement de l'oreille externe constitue un facteur important dans la qualité de l'audition, et d'autre part (par les recherches de monsieur et madame Kushi) que le bon ou mauvais développement de l'oreille externe est déterminé avant la naissance par l'alimentation de la mère. Les mères qui désirent voir leurs enfants jouir d'une audition parfaite devraient s'abstenir, au moins pendant la grossesse, de toute nourriture animale. Pour ceux et celles qui craignent une carence de protéines due à la non-consommation de chair animale, qu'ils sachent que leurs craintes sont non-fondées, et que s'ils aspirent à jouir non seulement d'une audition claire durant toute leur vie terrestre, mais également d'une meilleure santé physique et psychologique, il leur est vivement recommandé de s'abstenir de toute chair animale. (Lire « Le Rapport Campbell », Éd. Ariane, 2006)

Dans leurs recherches sur le cancer et l'alimentation, Chantal Drolet et Anne-Marie Sicotte nous rappellent que le vingtième siècle est responsable de changements alimentaires radicaux. Une surconsommation de gras, surtout animal, s'avère sans aucun doute la plus dangereuse des innovations. Dans un article sur « l'alimentation qui tue », paru dans la revue *Guide Ressources*, elles affirment :

« Des études internationales prouvent que la viande et le gras animal sont les aliments les plus susceptibles de créer un terrain favorable à l'apparition du cancer. »

Rappelons qu'un canadien sur trois (c'est énorme) sera atteint d'un cancer au cours de sa vie. Le docteur Verner Zabel n'hésite pas à écrire :

« La fréquence du cancer chez l'humain est proportionnelle à la quantité de viande qu'il consomme. »

DES SUBSTANCES MORBIDES DANS L'OREILLE

Existe-t-il un rapport entre le cancer, la musique, la qualité auditive et la manière de s'alimenter ?

La musique peut agir, peut soulager et même aller dans certains cas jusqu'à guérir. Mais elle reste sans force et inefficace si l'auditeur ne se prend pas en main. S'il continue à se nourrir de façon anarchique, et sans aucun respect pour les lois de la vie, il ne pourra percevoir que de manière incomplète les énergies subtiles du rythme et de l'harmonie qui sont aptes à le guérir. Comment peut-on profiter d'une bonne audition (et surtout du don de clairaudience) lorsque l'intestin est submergé par des phénomènes de décomposition d'albumine, et que le foie et l'ensemble des cellules de l'organisme ne peuvent soutenir la cadence de désintoxication ?

Dès 1893, le médecin Louis Kuhne dans son ouvrage intitulé : *La Nouvelle Science de guérir* démontrait l'unité des maladies et le bien-fondé d'une alimentation végétarienne. Il a donné comme cause de la maladie l'encombrement de l'organisme par les produits pathogènes qui résultent d'une mauvaise digestion. Digestion insuffisante provoquée par une alimentation pernicieuse et carnée. Ces substances étrangères, provenant pour la plupart de la consommation de chair animale, se déposent peu à peu à certains endroits du corps, surtout dans le voisinage des organes sécréteurs. Par la suite, l'encombrement continue vers les parties plus éloignées, principalement vers les parties supérieures du corps, c'est-à-dire le cou, la tête et donc, bien entendu, les oreilles...

Ce processus d'intoxication de certaines cellules est impossible et inconcevable sans un rapport intime avec d'autres symptômes. Lorsque les oreilles sont atteintes, il y a surcharge de tout le corps en substances fermentescibles. La mauvaise alimentation entraîne une mauvaise digestion, qui provoque elle-même une invasion de matières étrangères, fermentées et gazeuses, de tout le corps. Quand ces substances prennent le chemin des oreilles (reliées à la trachée par la trompe d'Eustache), l'organe délicat de l'ouïe s'obstrue et se « cartilaginifie », ce qui crée de fines lésions au niveau du tympan et le rend incapable de vibrer d'une manière normale sous l'action des ondes sonores. C'est ainsi que se produit le catarrhe de l'oreille (inflammation des muqueuses s'accompagnant d'une hypersécrétion des glandes). Louis Kuhne précise :

> *« Les produits pathogènes provenant de la consommation de chair animale se déposent surtout au centre de l'oreille. Il arrive souvent alors qu'il se présente des états aigus quand la pression d'en bas est forte. Il se forme à l'intérieur de l'oreille de véritables foyers purulents, qui éliminent constamment du pus et des substances étrangères en fermentation, lesquels produisent le flux d'oreille que tout le monde connaît. Si cet état aigu ne se guérit pas à temps d'une manière naturelle, il a toujours pour conséquence des accumulations croissantes de matières morbides et souvent même, la destruction directe de l'organe de l'ouïe, dont la condition ne fait qu'empirer quand on cherche à étouffer cet état aigu à l'aide de médicaments. »*

Pour mieux comprendre ce qui se passe au niveau de l'oreille lorsque le corps est surchargé, il est nécessaire de réaliser l'importance de la trompe d'Eustache (de l'anatomiste Eustachi). Ses conduits ont pour fonction d'égaliser la pression de l'air de chaque côté du tympan qui, lui, reçoit la vibration sonore. Cette compensation est automatique et n'est pas ressentie si les changements de pression sont progressifs. De brusques changements de pression pendant la descente d'un avion ou d'un ascenseur, par exemple, peuvent être ressentis dans l'oreille, jusqu'à ce qu'on avale ou que l'on baille pour ouvrir suffisamment les trompes d'Eustache, afin que la pression de l'air s'égalise. L'incapacité pour les trompes d'Eustache de réaliser cette fonction est évidente lorsqu'on a une surcharge de substances morbides qui les obstrue (rhume ou infection). La pression dans l'oreille moyenne descend alors au-dessous de la pression extérieure, car l'air de l'oreille moyenne est absorbé graduellement par les tissus qui l'environnent. Une pression inégale sur le tympan assourdit l'audition, et les sons semblent être filtrés à travers du coton.

DÉTECTER LES SONS LES PLUS SUBTILS

Une alimentation végétarienne nous évitera tous ces problèmes. En se nourrissant de fruits, de légumes et de toutes sortes de céréales complètes, le corps et l'esprit se libèrent et nous sommes en mesure d'être à l'écoute des grandes vibrations universelles, qui nous parviennent sans cesse, mais que nos oreilles obstruées ne peuvent percevoir. La musique des sphères et la musique de l'âme ne sauraient être captées par l'oreille surchargée des fermentations provoquées par la mauvaise digestion de cadavres. L'agonie des bêtes, massacrées sans pitié dans des abattoirs sanguinolents, se trouve absorbée par le corps et bloque le flux divin des énergies supérieures. L'humanité carnivore devient ainsi impuissante à percevoir les hautes vérités de l'être et s'interdit tragiquement l'accès aux influences miraculeuses des vibrations célestes. Ces assiettes « gastronomiques », assaisonnées de douleur, la rendent sourde à l'appel subtil des énergies musicales de son âme.

En suivant un régime alimentaire en harmonie avec les lois de l'univers, et qui respecte l'amour de la vie, nous nous ouvrons à de plus hautes perceptions sensorielles, à de plus hautes expériences. Nous pénétrons dans le monde infini de la vertu. Nos yeux ne voient plus les mêmes couleurs ; nos oreilles détectent les sons les plus subtils de la nature. Nous entendons des mélodies dont on ne soupçonnait même pas l'existence. Le jeu du vent dans les nuages, le souffle de la brise dans les feuilles des arbres, le rythme féérique des fontaines deviennent alors la plus belle des symphonies. Les portes de la contemplation et de la méditation s'entrouvrent, et nous découvrons l'incroyable musique intérieure.

Une alimentation non carnée facilite l'ouverture de la « troisième oreille », organe de la clairaudience. Cet organe subtil vibre à une vitesse beaucoup plus grande que l'oreille physique. Une fois développée, la troisième oreille permet d'entrer dans l'univers de l'écoute profonde, l'écoute de soi, où l'on perçoit la plus suave des musiques : la musique de l'âme.

UNE IMMENSE DISCORDANCE

L a musique intérieure engendre une véritable sensation de plénitude et est à la base de la guérison de l'être physique et spirituel. Tant que l'homme continuera à être un destructeur impitoyable des êtres animés des plans inférieurs, il ne connaîtra ni la santé, ni la paix et ne pourra percevoir les vibrations subtiles de la musique de son âme. Le Dr Paul Carton, médecin, insiste sur ce point :

> *« Tant que les hommes massacreront les bêtes, ils s'entretueront. Celui qui sème le meurtre et la douleur ne peut en effet prétendre récolter l'amour et la joie. L'habitude de la tuerie et par là même de la nourriture carnée est incompatible avec les espoirs de bonheur universel et de sagesse intégrale. »*

Comment l'être humain pourrait-il entendre le chant de son âme alors que son régime alimentaire basé sur la viande, en le rapprochant des espèces inférieures, immerge d'autant plus son esprit pendant le sommeil dans les fluides grossiers et inférieurs ? Pour être à l'écoute de la musique des sphères célestes – ces vibrations harmonieuses qui constituent une véritable panacée pour tous les maux dont souffre actuellement l'humanité – il est utile de se soumettre à certaines règles d'alimentation. Choisir la nourriture qui rend l'âme plus pure nous facilite la tâche. Le végétarisme est une alternative efficace pour accéder à cette purification sur les plans spirituel, animique et physique ; purification que devaient pratiquer, dans l'Antiquité, les disciples d'Hermès.

Dans *La Médecine hermétique des plantes*, Jean Mavéric écrit :

« La nourriture animale est la cause de toutes les corruptions organiques. Son usage est à l'origine de la laideur et de la difformité des races. La cruauté, la barbarie, le crime sont issus du carnivorisme... le vrai, le beau, le bien naissent du végétarisme. »

Dans certaines régions du globe, il faut chasser pour survivre. C'est entendu ; lorsque la nécessité l'ordonne, la viande ne doit pas être rejetée. Mais à l'heure actuelle, les animaux sont assassinés industriellement dans un climat d'épouvante innommable. Il en résulte que leurs cadavres sont chargés de peur, d'effroi, d'agressivité, de colère et de révolte. Nos contemporains n'absorbent pas uniquement de la viande. Ils se nourrissent sans s'en douter de tous ces sentiments nocifs, avec tout ce que cela implique pour la santé de leurs corps astral et physique.

De nombreux savants et penseurs ont réalisé le danger imminent que représente la consommation industrielle de chair animale pour l'évolution de l'humanité. Albert Einstein, ce physicien de génie, avait l'habitude de défendre le végétarisme. Dans ses écrits sur le développement de la personne, il écrit :

« *Le végétarisme, par son action purement physique sur la nature humaine, influerait de façon très bénéfique sur la destinée de l'humanité.* »

Un de nos maîtres en philosophie, Henry David Thoreau, est du même avis :

« *Je suis convaincu, dit-il, que la destinée de la race humaine l'appelle, dans son évolution graduelle, à cesser de se nourrir de chair animale, de la même façon que les tribus sauvages ont cessé de s'entredévorer au contact d'êtres plus civilisés.* »

L'horrible discordance des abattoirs engendre une série ininterrompue de fausses notes dans la grande musique évolutive des êtres humains. Les acharnements, les convoitises de la bête sont transmis aux hommes par la nourriture carnée. Un être végétarien profite au contraire de la fraîcheur et de la stabilité des plantes.

Pour terminer cette étude sur le rapport existant entre la qualité auditive, l'évolution et l'alimentation, je citerai de nouveau le Dr Paul Carton qui a longuement étudié les théories de Pythagore sur la musique et sur la vie en général.

« Le régime pythagoricien est un facteur puissant de haute évolution humaine, parce qu'il assure le rendement le plus parfait et le plus harmonieux des forces spirituelles, vitales et physiques. Sur l'esprit d'abord, il agit en le purifiant, en lui épargnant des incitations à la brutalité et à la sensualité. Il permet un meilleur développement intellectuel, parce qu'il facilite à coup sûr le jeu des opérations cérébrales. Tous les individus qui abandonnent l'usage des viandes sont surpris de constater combien leur esprit devient plus lucide, leur clairvoyance plus grande et leur but plus élevé. La douceur, l'optimisme, le sang-froid et la joie de vivre se font jour progressivement. L'individu se sent transporté dans un monde supérieur, parce qu'il a libéré son cerveau d'influences malsaines, fortifié son sens moral, élargi l'horizon de ses pensées, facilité l'éducation de sa volonté et accru sa valeur spirituelle. »

LA PUISSANCE PURIFICATRICE DE L'AMOUR

L'alimentation vertueuse peut donc, nous l'avons vu, faciliter une claire audition. Le texte védique de la *Bhagavad-Gita*, quant à lui, va même plus loin en stipulant qu'une alimentation spirituelle a le pouvoir de purifier les organes sensoriels, de produire des tissus cérébraux plus fins et de clarifier les pensées. Le verset 26 du neuvième chapitre dépasse le simple végétarisme et proclame la puissance purificatrice de l'amour :

> « *Que l'on M'offre avec amour et dévotion une feuille, une fleur, un fruit, de l'eau, et cette offrande, Je l'accepterai.* »

Ici, le chantre mystique de la *Gita*, l'aspect dévotionnel ultime du Dieu-source, révèle lui-même la nature toute simple d'une nourriture sanctifiée. Légumes, céréales, fruits et eau composent une alimentation appropriée à l'être humain et le fait de les « charger » de formes-pensées élevées nous permet de progresser vers le but de l'existence, pour finalement entendre cette musique intérieure qui nous affranchira de l'engluement matériel. Hors de ce principe universel, chaque bouchée a tendance à nous enfoncer plus profondément dans les intrications de la nature physique, et les grandes symphonies des demeures spirituelles restent pour nous inaccessibles.

D'après le *Véda*, le fait de sanctifier la nourriture par la pensée ouvre les portes du son intérieur. Par-dessus tout, l'offrande ésotérique doit être faite dans un sentiment d'amour. L'énergie infinie qui pénètre toute chose n'a en effet nul besoin de nourriture !... Le facteur dominant dans la préparation d'un tel acte magique, l'ingrédient principal, est donc la soif de l'amour absolu. Le chemin solaire est une route que l'on suit au-dedans de soi, dans le secret de l'âme. Le corps est un temple. Respectons-le et il résonnera avec l'absolu. Il chantera à l'unisson avec la beauté de l'infini.

MUSIQUE ET DIGESTION

Dans son livre *The Doctor Prescribes Music*, le professeur Edward Podolsky, physicien, considère la valeur de l'audition musicale pendant les repas. Selon lui, une belle musique jouée pendant les repas facilite grandement la digestion. Il mentionne dans son ouvrage une découverte scientifique selon laquelle le nerf principal du tympan (oreille moyenne) se termine au centre de la langue et se trouve relié au cerveau, réagissant à la fois aux impulsions du goût et du son. Commentant ce rapport scientifique, Hal A. Lingerman dans *The Healing Energies of Music*, note qu'il n'est désormais plus possible d'ignorer l'étroite corrélation qui existe entre une nourriture saine et une musique appropriée. Ce n'est pas par hasard que, dans les anciennes cultures, d'experts musiciens étaient invités à jouer de douces et agréables mélodies durant les festins et les repas.

Rappelons que, lorsque nous ressentons des émotions désagréables, le pylore, cette structure musculaire occupant la base de l'estomac, se ferme. Le contenu de l'estomac ne peut plus être dirigé vers l'intestin. Il s'ensuit une sensation de flottement, de lourdeur, et les acides de la digestion cessent de faire leur travail. Le résultat est l'apparition de la somnolence et de l'irritabilité.

Le professeur Podolsky écrit à ce propos :

« La musique douce est le meilleur antidote pour contrecarrer les désagréments d'une digestion insuffisante. Elle stimule l'activité gastro-intestinale. Pendant le repas, la nourriture passe ainsi de l'estomac au duodénum à travers un pylore grand ouvert. »

Durant les repas, la musique doit être simple, joyeuse, sans grand contraste ni complication intellectuelle ou émotionnelle. La flûte et la harpe sont particulièrement recommandées par Hal A. Lingerman.

Personnellement, j'ai observé que la musique dite de « L'école de Versailles », qui comprend les oeuvres de Lully, de Couperin, et de Delalande (Symphonies pour les soupers du Roy) suscite un climat de paix, de joie et d'opulence qui est tout à fait adéquat pour accompagner l'acte sacré de se nourrir.

Le *Véda* déclare : *Sevon mukhe hi jihvàdau* ; lorsqu'on utilise la langue au service de l'accélération de son propre taux vibratoire, les autres sens, ainsi que le mental, peuvent être sublimés. De par la nature de l'alimentation et de par l'attitude avec laquelle nous nous nourrissons, nous pouvons ouvrir ou fermer les portes cristallines de la musique de l'âme.

PROTÉGER LE NERF AUDITIF

L' oreille se compose de trois parties : l'oreille externe (pavillon et conduit auditif) collecte les sons de l'environnement, lesquels se propagent ensuite dans l'oreille moyenne par cette membrane qu'est le tympan et les trois osselets articulés entre eux. Les vibrations parviennent alors dans l 'oreille interne, appelée cochlée ou limaçon, qui envoie un message au cerveau par l'intermédiaire du nerf auditif. Tels sont les constituants de cette formidable machinerie acoustique. La détérioration de l'une des parties de ce système provoque une perte d'audition. La sensation tenace d'être sourd ainsi que les sifflements d'oreilles ressentis à la sortie d'un concert ou d'une discothèque sont autant de signes de souffrances cellulaires du système auditif.

Si nous voulons percevoir les énergies subtiles véhiculées par le son, la parole et la musique, et si nous voulons le faire longtemps et profondément, afin d'avoir le privilège de pénétrer dans la sphère de l'écoute profonde, il convient de protéger constamment son oreille. Il existe des verres fumés pour protéger les yeux d'une lumière trop violente. Il n'existe hélas rien de tel pour les oreilles. C'est à nous de développer suffisamment de vigilance pour s'éloigner des bruits trop violents. En dépassant fréquemment les 90 dB, il se produit des lésions cellulaires irréversibles se traduisant sur les plans anatomiques par des microhémorragies de la cochlée et, sur le plan symptomatologique, par une perte d'audition définitive. Le docteur Illouz va plus loin :

« À partir de 120 dB et plus (un concert normal de rock), le souffle est tel qu'il agit comme une déflagration. Il n'est pas rare que le tympan se déchire comme une peau de tambour qui ne résiste pas à une violente percussion. S'ensuit sur-le-champ une surdité totale qu'accompagnent des acouphènes, c'est-à-dire des sifflements et bourdonnements constants qui persisteront plusieurs semaines avant de s'atténuer et de finir par disparaître, parfois incomplètement. L'oreille interne recèle 28 000 cils

vibratiles, et pas un de plus. Ces cellules nobles, faut-il le préciser, sont des ordinateurs miniatures hautement sophistiqués. Chacune a une spécificité propre, triant les informations, analysant les sons, décortiquant les fréquences, avant d'envoyer par l'intermédiaire du nerf auditif un programme électroacoustique d'une grande fiabilité, facilement décodé par le cerveau. Or, lorsque l'écoute est intense, les cils vibratiles sont ballottés dans tous les sens et envoient un message qui perd de son relief sonore. On aura donc tendance à amplifier le son, pensant ainsi mieux percevoir. Mais plus le son est puissant et aigu, plus il risque d'endommager ces cils, qui n'ont malheureusement pas la particularité de se régénérer. Évidemment, moins les cils sont nombreux, moins l'oreille est fidèle. Un vrai cercle vicieux. »

Mais n'accusons pas le volume sonore de la musique de tous les maux. Ses effets nocifs se surajoutent au vacarme de la vie quotidienne. Il s'agit toujours de protéger notre nerf auditif si nous désirons jouir de concentration, d'équilibre, de vigilance et d'attention. De plus, les lésions de l'oreille interne, une fois constatées, sont définitives et il n'y a aucun traitement. Les zones nécrosées de la cochlée ne sont plus vascularisées : c'est la mort cellulaire. La prothèse auditive ne concerne que l'oreille moyenne (lésions du tympan et/ou des osselets), et en tant qu'amplificateur, ne fait qu'accroître les dégâts. Donc, méfiance.

Jean-Marie Leduc – dans un article d'information sur les chanteurs sourds – insiste sur le fait que certains musiciens ou chanteurs de hard rock particulièrement exposés vont jusqu'à se faire couler de la cire dans les oreilles avant d'entrer en scène ! Mais, dit-il :

> « ... si les oreilles peuvent être exemptées, rien n'arrête le son qui explose dans la poitrine ou dans le ventre. Et comme l'ont démontré des statistiques récentes en provenance de Grande-Bretagne, la cause de mortalité numéro deux des rocks stars internationales (après les accidents de transport, mais avant la drogue) reste la crise cardiaque. »

Quand le bruit devient trop fort, il convient de penser : « Attention, oreilles fragiles ». L'oreille est l'organe d'équilibre. Au-delà de 90 dB, on a des vertiges, des troubles de la mémoire ; on peut même devenir dépressif.

POUR QUE NOUS SACHIONS
À QUOI NOUS NOUS EXPOSONS

En réalité, il faudrait limiter le volume sonore partout. Après deux heures d'utilisation d'un i-pod (90 à 100 dB), les médecins préconisent une heure trente à deux heures de silence. Durant un tel bain sonore total, on a relevé des pertes de vigilance, des pertes d'équilibre ou des nausées. Il semble en outre que la faculté d'appréciation de paramètres physiques, comme l'évaluation des distances ou du relief, puisse se trouver altérée.

Que dire alors des minuscules oreilles du fœtus. Des chercheurs ont été surpris de découvrir à quel point les bruits extérieurs peuvent parvenir jusqu'à lui. Ayant placé un micro intra-utérin près de la tête d'un enfant, les médecins ont pu entendre clairement toute une variété de bruits. Dans le même domaine, en Irlande, un psychologue a remarqué que les nouveau-nés semblaient reconnaître le thème musical d'une émission télévisée que leur mère avait regardée régulièrement au cours de sa grossesse.

Selon la revue *Woman's World*, ces découvertes pourraient déboucher sur de nouvelles recherches visant à préciser l'effet de ces sons sur les oreilles du fœtus. Konrad Lorenz, entre autres, a constaté que, dès avant la naissance, les sons sont captés et interprétés par les êtres vivants. Ses expériences avec les oiseaux l'ont conduit à parler régulièrement à des œufs de canard. Après l'éclosion de ceux-ci, il a remarqué que les canetons venaient vers lui dès qu'il parlait, comme s'ils le connaissaient déjà – une expérience confirmée avec des poussins par d'autres scientifiques, et même sur des fœtus humains habitués pendant la gestation à la voix de leur père.

Combien d'inconnues subsistent encore dans notre manière de subir et de faire subir le bruit ? Les chercheurs du monde entier pourraient éventuellement unir leurs efforts et se demander ce que notre civilisation du bruit peut provoquer comme traumatisme sur les enfants, avant même qu'ils ne voient le jour.

(((ॐ)))

UN MESSAGE VIEUX DE 5 000 ANS

On trouve dans l'authentique commentaire du *Védanta Sutra* (*védanta* : conclusion ; *sutra* : fil conducteur) – le *Srimad-Bhagavatam* (ou *Bhagavat-*

Purâna), mis par écrit par Srila Vyasadeva il y a quelque 5 000 ans – plusieurs histoires qui montrent comment le fœtus est capable d'entendre les sons extérieurs. Le fils même de Vyasadeva – Srila Sukadeva Goswami – fut instruit dans la science du *bhakti-yoga* par son père alors qu'il était encore en gestation dans le ventre de sa mère.

Selon le *Brahma-vaivarta-Purâna*, Sri Sukadeva Goswani était une âme libérée des diverses identifications matérielles alors qu'il était encore à l'âge gestationnel. Son père Vyasadeva, pressentant que son fils ne demeurerait pas en sa compagnie après sa naissance, fit en sorte que l'enfant, bien qu'encore dans le ventre de sa mère, puisse entendre le message qu'il avait à transmettre et être ainsi instruit des principes de la vie intérieure.

Dans cette immense fresque historique qu'est le *Srimad-Bhagavatam*, un autre récit montre également jusqu'à quel point le fœtus peut percevoir les paroles prononcées près de la mère qui le porte : celui de Prahlad. L'enfant Prahlad fut conçu par un père au caractère ténébreux. Alors que sa mère résidait au monastère du sage-musicien Narada, celui-ci lui parla longuement de la philosophie dévotionnelle. Selon le texte, Prahlad, encore dans le ventre de sa mère, put non seulement entendre les propos du grand musicien, mais aussi les assimiler. Quelques années plus tard, il fut en mesure de répéter le message ainsi reçu à tous les élèves de sa classe, ce qui mit son père dans une terrible colère.

Ces deux références à un texte datant de plusieurs milliers d'années prouvent qu'on a de tout temps eu connaissance de l'action du chant et de la parole sur l'être vivant et sur le fœtus en particulier. Les versets sanskrits, notons-le, sont des textes poétiques d'une grande beauté et possèdent une rythmique et une métrique élaborées. La plupart du temps, ils sont encore chantés. Lorsqu'on a l'opportunité de lire ou d'entendre ces versets, on comprend aisément les vibrations de joie et de paix qu'ont pu ressentir ces enfants bien qu'encore à l'état embryonnaire.

L'EMBRYON-FŒTUS ÉCOUTE ET... COMPREND

Pour les milieux scientifiques, il devient de plus en plus évident que les énergies sonores agissent sur l'embryon. Les docteurs L. Bence et M. Méreaux, qui défendent avec un grand talent l'évidence de l'action de la musique sur les êtres vivants, sont clairs à ce sujet. Ils écrivent dans leur *Guide pratique de musicothérapie* :

« Pendant la gestation, le fœtus perçoit de nombreuses vibrations : pulsations cardiaques, respirations de la mère, mouvements des parois abdominales, bruits intestinaux, etc. Dès le sixième mois de la vie embryonnaire, l'ouïe fonctionne et le fœtus entend les sons, particulièrement la voix de sa mère. Il entend également la musique, comme le prouvent de nombreuses expériences. Il mémorise ce qu'il entend et se crée ainsi une « enveloppe sonore prénatale », selon l'expression d'Édith Lecours. Les initiés parlent d'engrammes mnésiques de l'être en gestation. Cette mémoire est contemporaine de la vie dans un milieu nourricier et d'une sensation d'apesanteur relaxante. C'est ce qui explique que la diffusion d'un enregistrement de battements du muscle cardiaque calme les pleurs du nouveau-né. On utilise aujourd'hui cette technique dans certaines pouponnières. »

Plus loin, Bence et Méreaux écrivent :

« Par des expériences indiscutables, le professe Tomatis a prouvé que, dès leur naissance, les béb reconnaissent spécifiquement la voix de leur mè Cette découverte lui a permis de mettre au p « l'oreille électronique », qu'il emploie dan traitement des enfants psychotiques en leur fai retrouver artificiellement le confort mat

sécurisant, par l'audition de la voix de la mère assourdie par des filtres comme elle l'était dans l'utérus. Le bébé a deux besoins essentiels : le lait et la voix maternels. Plus tard, la musique prendra le relais et sera l'évocation de la mère. »

(((ॐ)))

LA VIE EST L'ÉCOUTE

Le professeur Tomatis, cet expert en oto-rhino-laryngologie de la Faculté de Médecine de Paris, va plus loin. Après vingt-cinq années de recherche et d'expérimentation, il en est arrivé, par de rigoureuses observations scientifiques, à la conclusion que l'écoute précède toute l'organisation cellulaire comme si le processus entier de création dépendait d'elle. Cette idée – révolutionnaire pour la science moderne – ne vient en réalité que confirmer les textes védiques, antérieurs de plusieurs milliers d'années. Tomatis a prouvé avec quelle hâte l'embryon s'apprête à confectionner l'oreille. Pourquoi ? Tout simplement parce que la vie est l'écoute. Pour lui :

> *« Communiquer n'est pas seulement utiliser un certain langage à l'adresse de son prochain, mais d'abord lui offrir l'ouverture de son cœur. »*

Ses expériences ont démontré à quel point l'acte d'écouter est ontogénétiquement ancré au plus profond de l'être humain. La mère doit être consciente de ce fait pour aider l'âme qu'elle porte à développer son désir d'écouter, c'est-à-dire de vivre, d'être libre et d'aimer. Car l'écoute, répétons-le, c'est offrir d'abord l'ouverture de son cœur ou, selon Tomatis, « entrer avec l'autre que soi en une communion faite de compréhension et d'amour ». Ainsi donc, la dimension d'écoute est seule capable d'induire par sa présence toute la communication au sens le plus large et aussi le plus noble du terme. Car, comme le dit le créateur de l'audio-psycho phonologie :

« Être femelle, c'est porter un rejeton ; être femme, c'est porter un enfant ; mais être mère vraiment, c'est porter un être. »

LA LOUANGE DES ATOMES DE L'EXISTENCE

C'est à cet être éternel venu d'ailleurs, cet être aux mille vies, aux mille visages, aux mille parents, que la mère doit parler. C'est avec lui, et non pas avec un paquet de tissus cellulaires – comme on voudrait encore nous le faire croire – qu'elle doit dialoguer. Elle saura trouver les mots de pouvoir, les chants d'amour, les paroles affirmatives créatrices qui feront vibrer l'âme immortelle qui a pris refuge en son sein et qu'elle appelle désormais son enfant. De l'intérieur, la mère consciente capte la louange des atomes de l'existence, et lui répond par le chant silencieux de l'amour. L'être qu'elle porte est le rythme, elle en est la mesure. Dans cet état de dévoilement, la vie se révèle à elle par la qualité auditive, et ce qu'elle perçoit alors n'est pas une interaction de substances chimiques. Comment pourrait-on aimer un mélange de produits chimiques, fût-il des plus savants ? Ce qu'elle perçoit de la vie, c'est ce « quelque chose » qui ne peut être anéanti et qui pénètre le corps tout entier, qui ne peut être détruit, qui est sans mesure, qui ne connaît ni la naissance ni la mort, et qui ne cessera jamais d'être. Non né, immortel, originel, éternel, ce « quelque chose » n'eut jamais de commencement et jamais n'aura de fin.

Cette « force vitale » qui, selon les Védas, ne peut être fendue par aucune arme, brûlée par aucun feu, desséchée par aucun vent, noyée dans aucun océan, est présente en tant qu'embryon et reste à l'écoute de l'amour de sa mère et des hommes, amour inconditionnel qui demeure la seule et unique musique de l'humanité ; le reste n'étant, somme toute, qu'une vaine et inconséquente cacophonie. C'est ce « quelque chose » que les Psaumes bibliques font chanter et qui s'adresse au générateur de la vie en ces termes :

> « *Je n'étais qu'un germe que déjà Tes yeux me voyaient, et dans Ton livre ils étaient tous inscrits les jours que Tu me préparais avant même qu'eût lieu le premier d'entre eux.* »

Psaumes 139

(((ॐ)))

LE DIALOGUE D'ÂME À ÂME

L'homme de science, avec ses preuves en main, arrive toujours un peu en retard. Le temps qu'il obtienne les résultats de laboratoire, le processus vital est déjà avancé. La vie divine n'attend pas, bien heureusement, d'avoir été prouvée en laboratoire pour se manifester dans la conscience des personnes qui la recherchent. Les mères savent depuis l'aube des temps que le fœtus perçoit. C'est désormais un fait scientifique. Excellent ! Mais combien dérisoires s'avèrent ces résultats face à la vie. Comme le professeur Tomatis le signale :

« Ce que chaque mère est capable de nous apprendre – à savoir que son enfant bouge dans son ventre lorsqu'une musique ou lorsqu'un son ou une voix se manifeste – constitue aujourd'hui une véritable révélation dans certains de nos milieux scientifiques. »

Maintenant, on nous demande de faire exploser cet ancien paradigme et de concevoir que le fœtus non seulement entend, mais écoute aussi. Il écoute, il comprend, et il assimile. Cette évidence, démontrée par la science védique comme par la science moderne, doit certes encore évoluer dans certains esprits. Il faudra savoir attendre. Mais la venue d'un cycle nouveau dans les consciences nous prodigue dès aujourd'hui le sens intime de l'écoute. Et cette conscience est sur le point de bouleverser de fond en comble toutes nos vieilles structures intellectuelles. En développant cette conscience, on adhère à la vie ; on comprend que dans chaque son qui nous atteint, il y a un message de l'être essentiel. Pour cette audition profonde, il n'est pas besoin d'oreille extérieure. C'est la perception par le cœur des discours du monde invisible, le dialogue d'âme à âme. Cette sublime communication est révélée dans la tradition soufie par le maître Qusharî.

Dans son opuscule sur le *sama* (l'audition ésotérique), il écrit :

« L'audition spirituelle est l'appréhension des choses cachées au moyen de l'écoute des cœurs, par la vertu du discernement des réalités, qui sont l'objet de la quête et qui comprennent les signes divins dans toute créature. »

LES NOUVEAUX ENFANTS

En conclusion, que doit faire la mère pour communiquer avec l'être dont le corps – cet essentiel outil d'existence – s'épanouit en elle et par elle ? Et que doit faire l'humain pour dialoguer avec ses frères et avec le Principe Unificateur qui se tient au centre de son être? Il faut savoir que les mots du langage habituel sont absolument dénués de sens pour l'âme, qui perçoit tout au-delà du langage. C'est l'énergie intentionnelle, la chaleur affective sous-tendue par une voix agréablement douce, aimante, compréhensive que l'âme sait extraire. Comme le cygne de la légende qui sait extraire le lait de l'eau, l'être vivant sait extraire l'amour du son. Au-delà de l'embryon et au-delà du dialogue des hommes, c'est le Centre Sublime transcendant toutes sciences, qui sait entendre la musique de nos âmes, malgré le brouhaha sans fin de nos vaines pensées et la déconcertante frivolité de nos paroles. Avant le commencement était l'écoute, dit Tomatis, qui ajoute :

> « *La fonction sur laquelle se fonde toute la dynamique humaine est l'écoute.* »

Or le but de cette contemplation auditive consiste à obéir à la vie génétiquement manifestée. Savoir obéir aux lois de la vie nous donne l'espoir d'échapper un jour aux lois relatives des hommes, lois non-absolues qui, lorsqu'elles sont en dissonance avec les lois de l'univers, nous conduisent aveuglément de mal en pis vers un futur risqué, dangereux et incertain. L'écoute de la vie nous donnera la perception des principes universels : la compassion, la pureté, la véracité, la sobriété, ce qui mènera la nouvelle Terre vers l'âge de la maîtrise. Car la maîtrise de l'écoute profonde sera le plus beau fruit de l'évolution humaine. Elle procurera la pure ambroisie des véritables richesses, celles qui confèrent à l'humain l'état d'indépendance divine, l'autonomie et l'autosatisfaction parfaite.

Les nouveaux parents conscients de l'importance capitale des bruits, des sons, des chants et des paroles sur le développement de l'enfant à l'âge gestationnel, donneront naissance à une génération nouvelle, beaucoup plus évoluée que celle qui a créé le douloureux monde industriel. Nourris dès les premiers instants de la conception et durant toute la grossesse de vibrations sonores emplies d'amour et de beauté, ces nouveaux enfants deviendront les architectes d'un nouvel âge d'or sur la Terre.

((⟨ॐ⟩))
Chapitre deux

Les pouvoirs de la parole

« *Supposons qu'une personne ignore complètement ce que c'est qu'un revolver. Je lui en place un entre les mains, en lui disant : prenez garde, ne pressez pas sur le morceau de fer que voilà (je montre la détente), autrement il se produirait une explosion qui pourrait être fatale à vous-même ou à l'un de vos voisins. Que la personne me croie ou ne me croie pas, peu importe : si elle presse sur la détente, le coup part. Il en est de même pour l'autosuggestion... Il en est de même pour la formule parlée, que vous arrivez à faire pénétrer d'une façon mécanique dans votre inconscient, par la répétition.* »

Émile COUÉ, Œuvres complètes

« *Le jour où la science commencera à s'intéresser aux phénomènes non-physiques, elle fera plus de progrès en une décennie que dans tous les siècles de son existence.* » Nikola TESLA, physicien

AU COMMENCEMENT ÉTAIT LE CHANT

In principum erat verbum : on peut lire cette formule sur la première ligne du premier paragraphe de l'Évangile selon Saint-Jean. Différents exégètes en ont donné différentes versions, mais d'une manière générale, la formule se traduit par : « Au commencement était le Verbe » ou « Au commencement était le mot, ou encore la parole ». En fait, certains traducteurs sont d'avis que *verbum* pourrait vouloir dire « le son ou le chant ». Quoi qu'il en soit, le son, le chant, le mot, le verbe ou la parole participent de la même énergie. Si au commencement était le verbe, ou le son, et que ce son était le principe divin – comme l'affirme l'Évangile – son énergie inhérente doit être toute-puissante car non différente de l'énergie créatrice originelle. Dans ce sens, les Écritures bibliques se font l'écho des Écritures védiques, puisque ces dernières affirment : « Au commencement était Brahman (aspect impersonnel de l'absolu), avec qui était le mot, et le mot est Brahman ».

Bien que les religions s'écartent souvent les unes des autres pour de puériles raisons de terminologie, il y a dans ces deux assertions une résonance parfaite entre l'hindouisme et le christianisme. Ce verbe, ce son cosmique originel, on le retrouve partout, des hébreux aux tibétains, de l'islam au bouddhisme. Le son-Dieu est omniprésent dans l'histoire de l'humanité, et toujours étroitement lié à l'essence de la conscience. On le retrouve dans la Kabbale et dans toutes les grandes cultures. *Om, aum, amn, amen, omon, omen, yahuvah* : la liste est infinie. Il est le Logos, le fameux mot perdu des traditions ésotériques.

Krishna dit dans le *Mahabharata* : « Je suis le son dans l'éther ».

Saint-Jean va même jusqu'à mentionner le pouvoir créateur du Verbe-Parole :

> « *Le mot était au commencement avec Dieu ; toutes choses furent créées par lui, par lui tout apparut et sans lui rien n'apparut de ce qui est paru. En lui était la vie, et la vie était la lumière des hommes ; la lumière brille dans les ténèbres et les ténèbres ne l'ont pas arrêtée.* »

D'après le texte original araméen, « au commencement » implique un état éternel antérieur à toute création. Le mot verbe est la simple transcription de la traduction latine *verbum*, de l'original *logos*, c'est-à-dire la parole. Ce terme était courant dans la philosophie grecque pour désigner l'intelligence divine, organisatrice du monde. Saint-Jean lui donne le sens de la parole substantielle et éternelle.

(((ૐ)))

LES AFFIRMATIONS VIVANTES

« **E**t le mot, qu'on le sache, est un être vivant », a dit Victor Hugo. La parole est vivante ; c'est un don des puissances d'en haut. Lorsque nous disons « je suis », nous utilisons un pouvoir divin et graduellement, les qualités de nos affirmations ont tendance à se manifester en nous. Il est bien évident que la « citrouille » ne se transforme pas en « carrosse » du jour au lendemain, mais l'affirmation déclenche le processus par lequel le mot prend forme dans la matière. Après plusieurs répétitions de la phrase « je suis en pleine santé », on aura tendance à ressentir un mieux-être réel dans tout l'organisme. Faites-en l'expérience ! Cette sensation, ou émotion, déclenchera à son tour le phénomène de la santé. Il est surprenant de constater que ce processus agit aussi bien quand les affirmations sont faites de façon consciente qu'inconsciente. Par ailleurs, il est extrêmement urgent de comprendre que, généralement, nous utilisons cet immense pouvoir de la parole de manière tout à fait inconsciente et dans un sens négatif, ce qui est sans doute une des pires tragédies de la race humaine.

Le créateur a donné aux hommes un pouvoir illimité, celui de la parole. Mais là encore ce pouvoir est neutre ; il fonctionne dans un sens comme dans l'autre. La parole peut créer notre bonheur ou notre malheur. Que l'on répète pendant une semaine, spécialement au moment de s'endormir, l'affirmation « je suis gravement malade », et il y a de grandes chances pour que notre corps s'affaiblisse, et qu'une quelconque maladie grave s'y développe. Qu'un malade affirme chaque jour « je suis parfaitement guéri. Et il guérira, s'il peut concevoir en lui-même un état de santé parfaite.

TOUT EST VIBRATION

On a longtemps pensé que la première faculté de l'homme était la volonté. Émile Coué, par ses recherches et les milliers de guérisons obtenues, a prouvé que ce n'est pas la volonté qui est la première faculté humaine, mais l'imagination. L'imagination a un effet direct sur l'organisme, et cette faculté fait défaut à la volonté. « Imaginez » que vous êtes relaxé et immédiatement vos muscles vont se relâcher, votre tension nerveuse va baisser. « Veuillez » être relaxé et vous deviendrez de plus en plus tendu. La parole a une action directe sur l'imagination. Lorsque l'être humain prend conscience de ce pouvoir qu'il porte en lui, il redevient maître de sa vie et digne de ses origines célestes. On peut appeler ce pouvoir autosuggestion, suggestion, pouvoir du subconscient, etc., peu importe. Ce pouvoir a toujours existé et existera toujours. En tant que dépositaires de cette force, nous avons le droit et le devoir de la développer, et de l'utiliser dans un sens bénéfique.

Tout cela s'explique de façon très simple en empruntant des données qui sont du domaine de la physique micro vibratoire. D'après la loi d'Hermès, rien n'est inerte ; tout vibre, tout est vibration. Si un objet A vibre par exemple à une fréquence de 4 000 cycles par seconde, et qu'un objet B vibre à une fréquence de 10 000 cycles par seconde, les objets A et B ne vibrent pas en sympathie. Ils ne sont pas « sympathiques » ; ils ne sont pas accordés sur la même fréquence. Pour les syntoniser, c'est-à-dire les mettre en résonance, il faut les faire vibrer à la même vitesse. De la même manière, deux personnes qui n'ont pas les mêmes désirs, ou qui ne sont pas arrivées aux mêmes conclusions intellectuelles ou intuitives, ne vibreront pas à la même fréquence et seront donc antipathiques l'une pour l'autre. L'être humain, quand il pense ou utilise son pouvoir d'imagination et d'affirmation, se met à vibrer à la fréquence de l'objet qu'il visualise. C'est un simple phénomène de résonance vibratoire.

D'INVISIBLES PONTS DE RÉSONANCE HARMONIQUE

C e qui est absolument merveilleux, c'est de constater que lorsqu'on nomme un état d'être par la parole, on se syntonise parfaitement avec la fréquence qui lui correspond et l'on entre littéralement en contact avec lui. Chacun sait que le champ d'action du son est vibratoire. Par le seul fait de nommer un objet ou un état d'être en y pensant fortement et en l'imaginant dans tous les détails, les formes, les couleurs, les qualités, les attributs qui lui sont propres, le cerveau projette une impulsion vers lui. La vibration sonore qui le désigne représente son « semblable ». Les mots et les noms sont alors des « supports », ou des « témoins » entre l'imagination créatrice et l'objet lui-même. Par exemple, quand l'imagination – par l'intermédiaire du cerveau, cet ordinateur du mental – cherche à se syntoniser sur la fréquence harmonie, le mot devient le relais vibratoire entre l'état d'harmonie parfaite et le cerveau. En d'autres termes ce son devient la liaison entre l'archétype et l'être vivant. Il permet d'entrer en contact direct avec les énergies illimitées de l'harmonie cosmique, qui existe de toute éternité en nous-mêmes, et d'en sentir les vibrations. La fréquence d'un mot, c'est-à-dire le nombre de vibrations sonores qui le constituent, construit ainsi un pont invisible mais non moins réel, entre nous et n'importe quel grand courant d'énergie cosmique.

À ce niveau, il n'est pas nécessaire de raisonner pour comprendre; il s'agit plutôt d'expérimenter pour sentir et réaliser. Jean-Jacques Rousseau – ce grand philosophe du siècle des lumières – avait très bien compris ce point essentiel quand il écrivait :

« Quand l'homme commence à raisonner, il cesse de sentir . »

UNE ARME À DOUBLE TRANCHANT

En portant une attention soutenue à cette investigation, les ondes de l'harmonie universelle peuvent être captées. C'est alors qu'elles s'imprègnent dans la structure moléculaire subtile de l'être vivant et modifient son organisme tout entier. Les paroles, les mots et les noms sont reliés aux objets archétypaux par leur son d'union. Ce son d'union n'est rien d'autre que le nom par lequel un objet, une énergie, un élément ou une personne est désigné. Les grandes vibrations archétypales sont toujours disponibles dans le cosmos, et il suffit de se syntoniser sur le courant qui leur est propre pour en recevoir les bienfaits. Cette « alliance » se fait à l'aide de la parole et de l'imagination. Ainsi les fréquences fondamentales de santé, de beauté, de force, de savoir, de richesse, etc., existent dans l'univers et sont constamment à l'entière disposition de ceux qui désirent bénéficier de leurs vibrations. Par ailleurs, les ondes de colère, de peur, d'inquiétude, de pénurie et de cupidité sont également disponibles.

La parole est une arme à double tranchant. C'est aux humains qu'il revient de développer la discrimination, de manière à ce qu'ils aient la possibilité de choisir, en toute connaissance de cause, l'énergie particulière qu'ils désirent capter. L'ancien adage « tu tourneras sept fois ta langue avant de parler » n'était donc pas si faux...

LE CHANT INCANTATOIRE
DE NOTRE DISCOURS QUOTIDIEN

Les pensées sont en quelque sorte les réflexes du subconscient, et l'unique manière de programmer activement ce dernier est d'être « conscient du conscient », c'est-à-dire d'enregistrer ou d'emmagasiner consciemment des pensées précises sur les « disques électromagnétiques » (ou engrammes mnésiques) du subconscient. Or, pour ce faire, nous possédons un outil précieux, extraordinaire et magique, véritable don du ciel : le chant incantatoire de notre discours quotidien, c'est-à-dire nos paroles. Tous ceux qui accomplissent de grandes choses, tous ceux qui atteignent le véritable succès, mettent leur activité mentale et verbale au service de leurs idéaux. Comment ce travail se fait-il ? En enregistrant dans le mental une pensée précise, persévérante, soutenue et continuellement nourrie par l'engrais dynamique de la parole affirmative. On rejoint ici les techniques yogiques qui visent la maîtrise du mental, dans lesquelles les pratiques de récitation de certaines séries de sons, liées au contrôle du souffle, sont essentielles.

Depuis l'antiquité, l'efficacité de ces méthodes n'est plus à démontrer. Nos conversations de tous les jours sont en quelque sorte un chant, et cette « parole » – principalement lorsqu'elle prend la forme d'une affirmation – agit sur le conscient. Celui-ci, à son tour, influence le subconscient qui, par réflexe programmé, produit la pensée. Cette dernière, quant à elle, est créatrice du destin.

C'est cet aspect brûlant de la réalité qui faisait dire au grand maître Saint-Germain :

« *Vous laissez prendre forme physique à ce que vous pensez et à ce que vous ressentez. Vous êtes où sont vos pensées et vos paroles. Vous êtes votre conscience; vous devenez ce sur quoi vous méditez. Telle est l'éternelle loi de la vie.* »

À une extrémité se trouve la parole portée et produite par la pensée, à l'autre, le destin. Dans ce sens, on comprend comment la parole représente le pouvoir divin par excellence et l'être humain, qui en est l'héritier, un dieu potentiel.

(((ॐ)))

L'ABSOLUE DIVINITÉ DE L'ÊTRE VIVANT

S elon le *Véda* l'Âme de l'univers et l'âme distincte ne perdent jamais leur individualité spirituelle et absolue.

L'étude du plus vieux livre de la création, La *Brahma-Samhita*, censé avoir été rédigé par Brahma lui-même, nous en dira plus long à ce sujet. Il est possible de se fondre dans la lumière énergétique impersonnelle *Brahman*, mais cette pseudo-annihilation s'avère encore une illusion. D'après cet écrit, la véritable libération gît dans la relation d'amour qui se développe à l'infini et dans tous les sens du terme, entre l'essence infinitésimale, unique et immuable, et l'Essence Infinie, où Présence Divine, ce héros de l'Amour aux mille noms et aux mille visages qui nous attend depuis toujours. De cet échange amoureux, mystique, peut naître un éventail de relations (*rasas*) innombrables. Les maîtres de la dévotion universelle ont identifié ces *rasas* en cinq grandes familles (neutre, respectueuse, amicale, parentale et conjugale). On ne peut élaborer davantage ce point sans sortir des limites du présent ouvrage. Les lecteurs qui désirent en savoir plus se référeront aux livres qui traitent de l'amour divin, en particulier *L'Imitation de Jésus-Christ* (auteur inconnu) et *Le Nectar de la dévotion* de Rupa Goswami (traduction de Bhaktivedanta Swami, éditions B.B.T.).

Si l'être vivant est Dieu, mais « qu'il l'a oublié », comme parfois on se plaît à le répéter, de quel Dieu parle-t-on ? Comment le Divin qui, par définition, est omniscient, pourrait-Il oublier quoi que ce soit ? Le simple bon sens nous fait très vite rejeter cette hypothèse. L'être vivant n'est pas Dieu en entier ; par contre il est divin en essence. Participant de l'absolu, il en possède les qualités, les attributs et les pouvoirs, mais en quantité infinitésimale. Ce qui, à l'échelle humaine, devient phénoménal quand on imagine les incommensurables pouvoirs du principe absolu.

L'être vivant est potentiellement divin. Nous détenons dans nos âmes et sur nos lèvres les clés sonores de notre propre destinée et de celle du monde. Par nos affirmations, nous avons le pouvoir de créer l'univers que nous désirons. De la part d'un « Père Céleste », reconnaissons qu'il serait difficile d'être plus libéral... Émile Dormoy, expert en ouvrages ésotériques et homme conscient des buts importants de l'existence, écrit :

> *« Le verbe est parole énergique et autoritaire. Combiné avec la pensée précise et constructive, ils peuvent, avec la foi, provoquer un renversement des tendances naturelles et guérir une maladie, éviter un accident, ce qu'on appelle improprement un « miracle » alors que ce n'est que la matérialisation de la pensée concentrée et de la parole constructive. Cela, conformément à la promesse : Ce que tu décréteras te sera établi. »*

LE HASARD N'EXISTE PAS

Il existe dans la parole de précieuses vibrations, de puissantes énergies qu'il est surprenant de ressentir et de mettre en action. L'affirmation porte en elle la force des vœux, des promesses, des décrets. Le hasard n'existe pas. Lorsqu'on affirme : « J'ai vraiment de la chance », tout se passe au niveau subtil de la matière comme si l'on faisait un « pacte » avec la chance elle-même. Le même genre de fusion énergétique se produit évidemment dans le sens négatif. Le résultat, hélas, est souvent beaucoup plus évident dans l'affirmation négative, car alors la parole est donnée sans y penser, machinalement, tout naturellement, sans faire le moindre effort. Et dans ces conditions, la fusion énergétique s'opère beaucoup plus facilement. Conscients de la force de nos paroles, nous devenons le capitaine de ce vaisseau corps-esprit dans lequel l'âme est véhiculée. Le penseur Fichte reconnaît :

> *« La source primordiale de toutes mes pensées et de toute ma vie n'est pas un esprit étranger ; au contraire, ce que je suis est ma création entièrement personnelle. Je veux être libre signifie : c'est moi-même qui ferai de moi ce que je serai. »*

Le grand maître de la psychologie dynamique, Schmidt, a établi cette réalité de façon irréfutable et l'a mise à profit dans tous les domaines de la vie. Selon lui, l'être humain, par le pouvoir qu'il détient d'affirmer ce qu'il veut devenir, le devient. Par là, il est le maître incontesté, et la cause originelle, des circonstances et des événements qui sans cesse défilent au cours de son existence. Sa vie est entre ses mains. Voilà pourquoi on l'appelle en sanskrit *prabhu*, ou maître. Cette sublime responsabilité prouve son autonomie existentielle et interdit toute revendication de sa part auprès d'un soi-disant responsable extérieur, èt cela même s'il demeure toujours dépendant des lois de l'univers et de l'esprit divin. L'âme est la cause unique de tout ce qui lui arrive. Par quel moyen ? Par l'outil simple et terrible de la parole.

Si « l'homme creuse sa tombe avec sa fourchette » comme le déclare le vieil adage, il crée aussi son destin avec sa langue. L'Évangile le dit : « C'est ce qui sort de la bouche de l'homme qui importe » et rien d'autre. Chaque mot, chaque expression qui sort de sa bouche détermine un peu plus les circonstances qui vont se cristalliser dans sa vie. Et ce qu'il y a d'absolument tragique, et à la fois de merveilleusement magique, c'est la nature absolue du processus. Cela fonctionne lorsque les paroles sont prononcées inconsciemment, ou sans y prêter la moindre attention, ou même par plaisanterie. Le subconscient, comme un ordinateur, enregistre la donnée sans avoir le moins du monde le sens de l'humour...

Dans sa très belle étude sur les lois par lesquelles le monde manifesté est régi, Schmidt montre de quelle manière le hasard n'existe pas. Il écrit :

« *Quand tu dis « je suis », tes pensées sont tout oreilles car tout « je suis » est un appel à la réalisation. Toute pensée qui se trouve liée à un « je suis » manifeste une tendance croissante à se réaliser, et mobilise des forces de progrès ou de pénurie, d'insuccès ou de bonheur. Afin que le bien seul se manifeste dans ta vie, prends soin que toute phrase commençant par « je suis » soit dirigée vers des buts positifs. « Je suis malade, je suis malheureux, je suis fatigué, je suis persécuté par le destin, je suis pauvre, je suis souffrant, je suis faible, je suis dans la misère » ; voilà des ordres clairs donnés aux puissances de la vie d'avoir à créer des états correspondants ou à les développer plus profondément. Si au contraire tu prononces consciemment : « je suis libre, je suis fort, je suis content, j'ai toujours le dessus, je suis un favori du sort, je suis riche en succès, je suis un avec les forces du bien, je suis conscient de Dieu, je suis l'allié du destin, je suis riche », alors ce sont ces affirmations- là qui se réaliseront de plus en plus. « Je suis » cela signifie : je suis esprit né de l'esprit de la Divinité ; je suis un enfant de l'universel et la plénitude de la vie m'appartient en propre. « Je suis » tel est le nom du Divin en toi. Chaque fois que tu l'exprimes consciemment, tu parles comme Dieu disant : « Que cela soit » à tout ce que tu affirmes.* »

DÉSHYPNOTISER LE SUBCONSCIENT

La parole affirmative consciente est un régénérateur et un ré harmonisateur à haute tension pour les corps grossier et subtil, une source inépuisable de force pour l'enveloppe physique et psychique. Elle forme le support de la santé globale. Elle stimule le feu de la digestion, le bon fonctionnement des organes. La petite phrase « je suis en parfaite santé », répétée dans la sérénité du matin et la tranquillité du soir, en sachant que ce que le nouvel homme décrète est déjà en route vers lui, peut procurer plus de bien-être que n'importe quel produit chimique. Il suffit d'essayer pour s'en convaincre.

Dans un proche futur, lorsque la puissance de guérison du son sera mieux connue, il ne sera pas étonnant de lire à la fin d'une ordonnance médicale la note suivante : vibration psychoacoustique devant accompagner la prise des médicaments : « Je me sens parfaitement bien, je suis en excellente santé » à répéter dix fois par jour, matin, midi et soir...

Émile Coué, qui a révolutionné l'automatisme psychologique et a éclairé d'une lumière éclatante l'immense domaine de l'autosuggestion (en prouvant que l'imagination est toujours plus forte que la volonté), a soigné, soulagé et guéri des milliers de malades jugés pour la plupart incurables par les médecins d'écoles de l'époque. Il a soigné par la simple répétition de la formule : « Tous les jours, à tous points de vue, je vais de mieux en mieux ». Émile Coué avait compris l'étroite relation existant entre les énergies vibratoires de la parole et l'activité psychologique. Pour lui, la suggestion n'agit qu'à la condition d'avoir été transformée en autosuggestion, c'est-à-dire acceptée.

Que devons-nous donc accepter ? Le verbe suggérer vient du mot latin *suggerere*, qui signifie exactement « porter dessous ». C'est précisément cette force encore mystérieuse, cachée sous le son des mots, supportée par la parole affirmative, qu'il s'avère nécessaire « d'accepter », (le verbe accepter vient du latin *acceptare* qui signifie recevoir). Ce qui est accepté (reçu) devient accessible... Dès lors, l'autosuggestion peut être utilisée efficacement à des fins thérapeutiques.

Comme l'électricité, le son est une énergie neutre ; il peut être bénéfique comme il peut être maléfique. Tout dépend de l'utilisation qu'on en fait et généralement, nous pratiquons en maîtres la mauvaise autosuggestion, sans avoir pris de leçons. Pourquoi cette suggestion négative réussit-elle si bien ? Parce que, répétons-le, nous la pratiquons inconsciemment, sans faire aucun effort.

Automatiquement, certaines personnes affirment « je sais que je ne réussirai jamais » ou encore « je sais que telle ou telle catastrophe, que tel ou tel obstacle est insurmontable, inévitable ». Elles font ces affirmations sans faire aucun effort particulier. La parole et le pouvoir qu'elle supporte pénètrent ainsi très aisément dans le subconscient qui les accepte. Et comme celui-ci préside au fonctionnement de notre être physique aussi bien qu'à celui de notre être psychique ou moral, il fait en sorte que tout se passe selon l'ordre reçu. La répétition persévérante, mais non rigide, d'une vibration sonore contenue dans un mot-son positif peut déshypnotiser le subconscient programmé négativement et faire fonctionner son mécanisme créatif non seulement dans un sens positif, mais également pour atteindre des états de conscience supérieurs.

LA MANTRASTHÉSIE :
À L'ÉCOUTE DU SUBCONSCIENT

Synthèse entre d'une part les forces du son (musique, verbe, autosuggestion), et d'autre part l'effet purificateur du chant méditatif inspiré, la « mantrasthésie » (du sanskrit *manatatra* : outil de libération et du grec *aisthêsie* : sensation) est un système de connaissance qui a pour objet la sensibilité du subconscient humain aux éléments sonores produits par les organes de la parole (phonèmes), qui sont libérateurs du mental.

Il existe déjà une méthode d'apprentissage accéléré d'origine bulgare – la « suggestologie » – qui emploie la musique et la respiration rythmique afin d'impliquer l'hémisphère droit du cerveau. Mais toutes les méthodes d'autosuggestion sont encore pour la plupart utilisées dans des buts liés au corps et au conscient. La « mantrasthésie » est dirigée vers les modifications de la conscience et vers un éveil de l'âme.

Pour bien saisir la portée et l'efficacité de cette démarche, il est nécessaire de définir les différents rôles du conscient, du subconscient et de l'inconscient ou surconscient. Le mot inconscient est généralement utilisé pour désigner tout ce qui se trouve au-delà du conscient; c'est pourquoi il est également appelé surconscient.

Le conscient essaie toujours de raisonner, d'analyser logiquement, et souvent cette qualité lui permet de malencontreusement bloquer les informations intuitives venant du plus profond de l'être. Ces perceptions intuitives profondes proviennent en fait du surconscient par le relais du subconscient.

Évitons de se laisser impressionner par des mots aux consonances intellectuelles dont les auteurs d'ouvrages scientifiques sont très friands. Ces concepts sont en réalité d'une grande simplicité. Pour saisir l'étroit rapport entre ces trois éléments, il suffit d'imaginer que le subconscient est en quelque sorte un facteur dont le travail consiste à transmettre des messages de la poste centrale (le surconscient) jusqu'à la boîte aux lettres (le conscient).

Le subconscient, en tant que relais intermédiaire, crée un pont entre le surconscient et le conscient. Il est une demi-conscience intuitive. Par l'utilisation appropriée des sons, la pratique de la mantrasthésie provoque des états de relaxation tels que le subconscient n'a d'autre choix que de laisser passer les informations du surconscient. Ces « révélations » se glissent alors jusqu'au conscient. En effet, dans certains états de relaxation, ou de méditation, l'ego inférieur se trouve dans une condition de passivité. C'est alors que s'ouvrent les portes du surconscient intérieur. Or, dans le surconscient s'accumulent toutes les perceptions sonores, les mots, les noms, les affirmations, les remarques etc. Ces « données » sont recueillies et « engrammées » sans que nous en ayons vraiment conscience. Ces sons multiples, ces conversations, ces musiques sont emmagasinées à l'intérieur du subconscient qui peut être comparé à un disque dur où est enregistré, entre autres choses, tout ce que l'oreille perçoit dans cette vie, plus une partie de tout ce qu'elle a perçu antérieurement. Le surconscient est en quelque sorte un accumulateur d'images, de sons, d'émotions, de souvenirs, branché conformément à la manière dont on se permet de percevoir l'existence. À l'instant de la séparation de la force vitale individuelle et des éléments chimiques qui composent l'enveloppe charnelle (transition qui est faussement appelée « la mort »), cette accumulation de pensées, de désirs et de souvenirs surconscients détermine les conditions dans lesquelles se réincarnera l'être vivant. La vie pré-embryonnaire (ou vie passée) n'est donc qu'une simple préparation pour la vie présente, et la vie présente est elle-même l'atelier de toutes les prédispositions de la vie future.

RECEVOIR DES MESSAGES DE L'AU-DELÀ

V ue sous cet angle, la mantrasthésie peut avoir des répercussions inimaginables sur l'évolution de l'être, en lui permettant d'avoir accès aux mémoires surconscientes qu'il porte avec lui de renaissance en renaissance. Afin de percevoir ce chant du surconscient, il est vivement recommandé de se mettre dans un état propice à la libre circulation des énergies entre surconscient et conscient. Le rôle des musiques subliminales, des musiques de relaxation, et surtout l'audition de chants méditatifs inspirés peut alors apporter une aide précieuse. En effet, la principale qualité de ces chants est précisément de supprimer les barrières qui s'élèvent entre la « poste » (le surconscient), le « facteur » (le subconscient) et la « boîte aux lettres » (le conscient).

Une fois ces obstacles disparus, les énergies qui ne demandent qu'à circuler dans un sens comme dans l'autre, trouvent alors la possibilité de s'écouler librement, donnant à l'être tout entier un équilibre auquel il n'était jamais parvenu auparavant. De cet équilibre parfait naissent de nouvelles sensations, telles que la joie invincible, la sérénité devant l'épreuve, la confiance absolue en soi et une perception plus développée de l'Intelligence Universelle. Dans le geste mantrasthésique, l'être humain devient organe sensible. Ce qui n'est ressenti ordinairement que par l'oreille s'étend à l'ensemble de la personne et devient tout naturellement mouvement. L'expérience assimilée devient danse, chant, rire, larme joyeuse et éventuellement absorption globale dans le domaine de l'extase. Cet état extatique est lui-même provoqué par la perception de l'inaltérabilité de l'âme et par la prise de conscience de l'immortelle relation d'amour qui unit cette âme à l'Essence Originelle, l'Être Divin universel. Durant ces états de conscience altérée, il devient même possible de recevoir des messages venant des êtres chers qui nous ont quittés et qui demeurent désormais dans les dimensions de l'au-delà.

L'ATTRACTION PAR LE SON

Pour le conscient, le son du mot (la parole) est un symbole. De quel symbole s'agit-il ? De l'idée qu'il exprime par un certain son. Le nom d'un objet porte en lui tous les éléments symboliques qui sont à l'origine de l'existence de ce qu'il représente. C'est pourquoi les sages de toutes les époques et de toutes les traditions arrivent à la même conclusion depuis des millénaires : le monde est musique ; l'univers et toute la création sont vibration sonore. Lorsque toutes les cellules du cosmos, toutes les planètes, toutes les civilisations à travers la galaxie vibreront en harmonie, sans désirs égoïstes ou anarchiques, mais en suivant les directives du Grand Chef d'Orchestre universel en recherchant la beauté de l'ensemble – et non pas uniquement le plaisir d'une seule partie infime au détriment des autres – l'immense symphonie cosmique se fera entendre dans tous les plans d'existence, et les êtres vivants appartenant à tous les règnes retrouveront le rythme éternel de l'amour, la céleste mélodie de la musique de l'âme. Tel est le but infini de l'évolution.

L'âme est l'idée enfermée dans la forme du symbole; elle est la substance, et les formes éphémères sous lesquelles elle se manifeste de par la nature de ses désirs ne constituent que les différentes ombres de cette substance. Ce n'est jamais la mélodie qui suit l'harmonie, mais l'inverse. De la même manière, ce n'est pas la substance qui suit la forme, mais l'inverse. Comme tout dans la création a tendance à suivre ce modèle, la manifestation de l'idée est portée à suivre automatiquement son expression symbolisée dans la formule sonore. Voilà pourquoi un état de santé se manifeste « autour » du mot santé, un climat violent s'installe dans un lieu où des mots symbolisant la violence sont fréquemment prononcés. Le succès suit le mot succès ; la richesse apparaît là où la phrase « je suis riche » est souvent répétée, etc.

Dans la tradition ésotérique, la divinité elle-même se manifeste et apparaît sous la forme particulière invoquée par les énergies musicales contenues dans ses multiples Noms. Mille Noms différents donneront éventuellement mille apparitions différentes, bien que ce soit toujours la même substance, personnelle ou impersonnelle selon le cas, qui se manifeste ainsi. Si on tient compte des effets physiologiques propres à l'émission de telle ou telle syllabe, on réalise que grâce à la parole, grâce à l'affirmation chantée, les mots sont pris en charge par l'individu qui les prononce. Il les fait siens et entre en union vibratoire avec eux, physiquement et psychiquement. Tel est le secret sublime de l'attraction de tout ce que nous désirons par le son de nos propres affirmations.

(((ॐ)))

UNE AUTRE ÉVOLUTION

De même que l'idée est enfermée dans le symbole sonore du mot, l'âme est emprisonnée dans le corps. La parole est une idée en gestation, prête à être manifestée dans la forme, c'est-à-dire prête à être formulée matériellement. C'est ce qu'on appelle généralement évolution, en pensant, étrangement, que celle-ci se fait par mutation génétique.

Dans ce sens, la théorie de Charles Robert Darwin s'avère inexacte. Ronald Reagan, lorsqu'il était encore président des États-Unis, avait senti cette inexactitude évidente ; lors d'une entrevue, il déclarait : « La théorie de l'évolution est une théorie scientifique comme une autre. Les biologistes ne la considèrent plus comme aussi infaillible que par le passé. Mais si on doit l'enseigner dans les écoles, la version biblique de la Création doit aussi être enseignée dans les écoles. »

Le problème est de taille car on ne retrouve plus dans la Bible les enseignements qui pouvaient nous aider : les conciles catholiques les ont fait disparaître. En l'an 553 de notre ère, au deuxième concile de Constantinople, la soif du pouvoir immédiat poussa l'empereur byzantin Justinien à supprimer des Écritures chrétiennes tout enseignement concernant la réincarnation. N'est-ce pas là le comble de l'hypocrisie et de la malhonnêteté ? Mais l'Occident l'a accepté et l'accepte encore en majorité, aveuglément, ou rejette la Bible sans chercher à comprendre.

Ce n'est pas le corps qui évolue, mais l'âme qui l'habite par transmigration d'un corps à un autre. Un musicien peut désirer jouer sur un instrument plus perfectionné ; toutefois, c'est le musicien qui change d'instrument et non l'instrument qui se transforme! En basant sa conception de l'évolution des espèces sur la prémisse qu'une véritable variation génétique s'opère de génération en génération, Darwin – et, dans son sillage, toute la civilisation industrielle – a rejeté l'idée type ou l'essence spécifique appelée « *eïdos* » par Platon. C'est cet *eïdos* qui se trouve, si on peut dire, contenu dans le son du mot qui le représente symboliquement. C'est l'*eïdos* qui évolue à travers les véhicules qu'il emprunte et que la nature matérielle veut bien lui prêter. Il y a bien évolution, mais pas dans le sens où Darwin l'entendait.

D'une manière paradoxale, l'hypothèse de Darwin conçoit un plan dans la nature mais ne se demande pas qui en est le concepteur, ce qui est absurde. Dès qu'on reconnaît l'existence d'un plan, on doit aussi admettre celle de son auteur, l'architecte ou le dessinateur. Et si l'on prétend que la grande harmonie de la nature agit simplement de façon mécanique, ne devons-nous pas reconnaître qu'il doit nécessairement exister une énergie mécanique intelligente produite par un... Mécanicien qui la met en marche ? Cette énergie primordiale, les visionnaires l'appelle le Grand Esprit, Dieu, l'Âme de l'Univers, et les intellectuels scientifiques lui donnent le nom de Grande Théorie Unificatrice. Au-delà de ces deux visions, une même Réalité existe qui attend dans l'éternel silence l'homme grandi, purifié.·

Derrière l'immense symphonie de la nature se trouve l'intelligence d'un divin compositeur. Entendre et interpréter la musique de l'âme revient à suivre parfaitement la direction de ce concepteur. Cette direction est précisément donnée au moyen de la parole créatrice, ce verbe qui était au commencement et par lequel tout a été créé. Les paroles de l'homme ont le pouvoir de symboliser l'idée évolutive de la divinité. Le verbe symboliser est pris ici au sens classique, qui signifie précisément « s'accorder avec ». De cet accord parfait naissent les créations absolues par lesquelles l'homme recouvre la force créatrice et thérapeutique de sa voix.

Les différents aspects physiques de l'être vivant ne sont ni un produit du hasard, ni le fruit d'une hypothétique mutation génétique. Ils représentent la réponse précise de la nature matérielle aux désirs des êtres. Par son libre arbitre, l'âme choisit d'écouter telle ou telle musique, de prononcer telle ou telle parole. Elle décide ainsi elle-même des circonstances et des évènements de son évolution. En s'entourant constamment de vibrations sonores élevées, elle crée le corps de lumière qu'elle pourra habiter dans son existence future. En se baignant consciemment dans une atmosphère chargée des fréquences liées à l'audition et au chant des Noms illimités qui désignent la Cause Première, l'âme recouvre le souvenir de ses fondements et trouve en elle-même (et non pas au sein des politiques et des bureaucraties d'une quelconque religiosité...), la force de franchir les étapes supérieures de son épanouissement cosmique.

((«ॐ»))

Chapitre trois

L'énergie thérapeutique des mantras

« Par l'emploi approprié des énergies musicales, l'être humain peut non seulement éliminer les blocages, mais aussi acquérir, dans les parties organiques incorporelles, une vibration supérieure à celle qu'il avait auparavant. »

Pr. ZÉBÉRIO
Les Sons et l'Énergie humaine

« Il est vrai qu'en fin de compte chaque son possède des qualités mantriques. »

LAMA ANAGARIKA GOVINDA
Méditation créatrice
et Conscience multidimensionnelle

LA PLUS HAUTE PRÉMONITION

L es mantras sont des outils de libération du mental. Ce ne sont pas des « formules magiques » qui auraient pour fonction de transcender les lois du cosmos ou d'hypnotiser la personne qui les chante ou les récite. Les mantras ont pour but d'éveiller des forces qui existent dans l'âme humaine de toute éternité. Le lama Anagarika Govinda les définit comme :

> « ... des sons archétypaux et des symboles verbaux, qui ont leur origine dans la structure même de notre conscience. Ce ne sont donc pas les créations arbitraires d'une initiative individuelle ; ils sont nés de l'expérience humaine collective ou générale, modifiés seulement par des traditions culturelles ou religieuses. »

Un mantra est donc un symbole, c'est-à-dire selon Carl Jung, une idée qui correspond à la plus haute prémonition de l'être conscient. Cette haute prémonition correspond à la prise de conscience de notre divinité. Elle est complète lorsqu'elle englobe la conscience de l'Âme Universelle en nous et la relation qui nous unit à

Elle. Cette union de dévotion et d'amour représente la quintessence du bonheur absolu. Le but ultime de la pratique des mantras est précisément de retrouver cette relation divine perdue.

(((ॐ)))

L'ÉTAT DE GRÂCE : UN PROCESSUS DESCENDANT

Il existe, bien entendu, des milliers de mantras qui ont des milliers de fonctions diverses, non liées à cette recherche relationnelle avec l'Absolu. Ces mantras peuvent servir toutes sortes de buts plus ou moins liés à l'énergie matérielle. Toutefois, le but véritable de la pratique du mantra est de se relier au Divin. Le processus qui provoque la prise de conscience de cette relation n'est pas ascendant mais descendant. C'est dire que ces choses ne naissent pas d'une réflexion dans laquelle le conscient tente par un effort intellectuel d'accéder au niveau spirituel. Cette conscience, au contraire, est un état de grâce qui jaillit des profondeurs de l'âme. Cet état est offert de manière immotivée par le médium d'un maître-guide. La tradition mantrique est une tradition orale, où la *shakti*, l'énergie, est transmise de bouche à oreille, c'est-à-dire de maître à disciple. Recevoir un mantra d'un maître vivant authentique est une initiation en soi. Cette expérience initiatique est une nécessité pour celui ou celle qui veut s'engager sur la voie du mantra, et représente le départ de la pratique (*sadhana*). Cette initiation peut être vécue aussi bien dans l'état de rêve que dans l'état de veille.

LA PUISSANCE DES SYLLABES-SEMENCES

L e son symbolique du mantra forme un pont entre la conscience superficielle et le Moi essentiel situé au niveau de l'incorporel. Sur ce plan, les structures de langage telles que nous les connaissons disparaissent pour faire place aux émotions et aux sentiments purs, inexprimables par les concepts verbaux utilisés sur les plans physiques. C'est la raison pour laquelle la plupart des formules mantriques renferment des sons primaires sans signification précise, et qui n'expriment aucun concept ni aucune idée. Ce sont des sons-racines, ou des syllabes-semences (*bija*). Ces sons-racines déclenchent l'éveil des émotions supérieures, en touchant directement la conscience par des vibrations dont les sonorités sont antérieures à tout langage humain.

Dans la mystique tibétaine, on trouve par exemple le son *hùm* qui représente l'individualité et provoque la descente de l'état d'universalité au plus profond de l'âme humaine. Le « u » se prononce « ou ». Le trait au-dessus du « u » prolonge le son; le point au-dessus du « m » indique la nature mantrique de la semence sonore et est censé retourner le son vers l'intérieur. La vibration extérieure que l'on entend est alors transférée à la fréquence intérieure inaudible, mais réelle. Il est inutile d'y penser ou de raisonner. De la même manière, lorsqu'une musique ou un chant nous émeut, nous ne pouvons pas vraiment l'expliquer. Nous sentons simplement quelque chose de particulièrement puissant bouger et évoluer en nous. Et nous sentons avec précision que cette énergie soulève les montagnes de notre indifférence et de notre insensibilité.

C'est exactement la même chose qui se passe avec le son-semence d'un mantra. C'est cette fréquence intérieure, inaudible à l'oreille physique, qui porte véritablement l'énergie du *bija*.

L'IMMENSITÉ DU *SHABDA*

Cette énergie toute-puissante, c'est le *shabda*, ou groupe phonique de lettres qui confère le mouvement au son. Sans la perception du *shabda*, ou son occulte enfoui dans le mantra, et que l'adepte cherche à découvrir, la force du mantra ne peut se manifester à sa pleine puissance. Le son Om est le *bija* suprême. Comme le *hùm* est la descente de Dieu vers l'âme, le son Om est l'ouverture de l'âme à Dieu et correspond à la montée de l'individualité vers l'universalité, vers l'infini. Le *Srimad-Bhagavatam* dit à ce sujet :

> « *La syllabe sacrée Om, investie de pouvoirs insoupçonnés, éclot tel un lotus en l'âme pure. Elle représente la Vérité Absolue sous ses trois aspects : la réalité impersonnelle, l'Âme Suprême et la Personne Suprême. Toutes les sonorités védiques émanent du son Om, qui naît de l'âme.* »

D'innombrables pages ont été écrites sur la signification et la teneur du son *Om* ; il est bon de les lire et de les assimiler. Pourtant, il est encore bien plus merveilleux d'expérimenter directement la force de *Om*. Dans une position confortable, on laisse son corps se détendre grâce à de profondes respirations. Quand le calme est venu, on prononce alors le mantra sacré, sans chercher à raisonner mais simplement en essayant, d'un coeur simple, d'en sentir les fréquences exceptionnelles. Après quelques minutes de ce chant, toutes les explications métaphysiques sont oubliées et deviennent inutiles, car nous pénétrons dans le royaume insoupçonné de l'expérience mystique. Le son est là, vibrant de joie et pénétré d'amour. Le cœur se dilate sous l'effet d'une chaleur irradiante. Le mental qui, quelques minutes auparavant, tournoyait péniblement dans tous les sens, se trouve comme catapulté dans une même direction, concentré, fixé sur un point central situé dans le centre du cœur. De ce point, émane un rayon de paix illuminant le monde entier. Le corps et l'esprit se trouvent alors spontanément baignés d'un immense sentiment de gratitude. On réalise du même coup la puissance du mantra, et la stupéfiante immensité des régions transcendantales. « Celui-qui-ne-rêve-pas », l'éveillé, l'être vivant divin, peut alors émerger de sa vieille coquille et vibrer en harmonie avec la paix silencieuse dans laquelle il lui est permis de percevoir la voix sublime de son âme. Quand cette heure vient, il sait que sa demeure est au sein de l'Omniscience ; il se rappelle que la vie physique n'est qu'une représentation théâtrale. Dès lors, il ne craint plus rien.

((‹ ॐ ›))

SORTIR DE L'INCONSCIENCE

Bien que la répétition d'une certaine architecture sonore puisse procurer mieux-être, fortune, santé et toutes sortes de choses, la pratique des mantras a pour but ultime de nous aider à redécouvrir notre identité spirituelle. C'est grâce à cette prise de conscience que la relation unique qui nous unit à la lumière vivante du Dieu-source pourra être rétablie. Cette redécouverte de la vie de l'âme se développe à partir de l'écoute (*shravana*). L'entité qui prête l'oreille aux vibrations sonores mantriques voit rapidement sa conscience débarrassée de toute impureté. L'importance de l'écoute est annoncée à maintes reprises dans toutes les Écritures révélées. Les *Védas* préconisent la pratique de l'écoute de fort belle manière dans le *Garuda-Purâna* :

> « *L'existence conditionnée en l'univers de matière peut être comparée à l'état de l'homme qui, victime d'une morsure de serpent, gît inconscient. Ces deux formes d'inconscience peuvent chacune être dissipées par les vibrations d'un mantra.* »

Il existe en effet des mantras capables de rendre la vie à celui qui semble déjà mort par suite d'une morsure de serpent et qui, plongé dans une profonde inconscience, reste comme dans un état comateux. Il existe des mantras spécifiques capables d'annihiler les effets du venin. Dans l'état comateux comme dans l'état de sommeil profond, l'oreille demeure le seul organe sensoriel en activité ; celui qui semble déjà mort peut donc recevoir le son qui le sauvera. Certains chamans maîtrisent cet art de manier les énergies sonores, et de tels exploits ne sont pas rares. Similairement, l'oubli de l'existence de l'âme a plongé la Terre dans le sommeil profond de l'indifférence et de l'insensibilité qui sont les fruits empoisonnés d'un matérialisme grossier. Dans le coma de l'illusion, les échanges d'amour entre l'étincelle divine et l'Être-Feu Divin ont été remplacés par un pauvre sentiment d'impersonnalité. Dans cet état, le nihilisme et l'existentialisme bloquent la descente des grandes énergies de lumière et de paix, qui sont toujours prêtes à inonder le monde. C'est la raison pour laquelle les guides perçoivent l'humanité comme une sphère transitoire plongée dans les plus profondes ténèbres de l'ignorance, de l'envie et de la haine. Illusionné par un égoïsme limitatif, l'homme semble comme mort, bien qu'il s'agite inutilement dans tous les sens en quête d'un bonheur qui lui échappe toujours.

L'ÉCOUTE PROFONDE
DE LA PAROLE RÉVÉLÉE

Cette carence de bonheur peut être guérie par l'écoute profonde de ce qui a trait à la vérité absolue. C'est du moins ce que stipule le commentaire du *Védanta Sutra* :

> « *Celui qui souhaite s'affranchir de toute souffrance doit entendre ce qui a trait à Dieu, L'aimer et se rappeler son aspect personnel, Lui, l'Âme Suprême, le maître et le libérateur de toutes souffrances.* »

Srimad-Bhagavatam 2.1.5

Le feu de la vie intérieure est ainsi définitivement allumé et l'être vivant, que les anxiétés illusoires de l'existence limitée ont plongé dans un état d'inconscience, sort de sa léthargie chronique et s'éveille dans le monde de sa propre divinité. Vyasadeva, l'auteur des *Védas* décrit l'importance de l'écoute des Écritures révélées telles qu'elles ont été (et seront encore) données aux hommes par la bouche des innombrables maîtres de la vérité :

> « *Il est essentiel, de savoir prêter une oreille attentive aux chants et aux dires des acaryas (entités modèles) qui, telles des rivières de nectar, coulent en flots de leurs visages pareils à la lune. L'âme qui avec amour se livre à une écoute suivie de ces sons spirituels se verra certes libérée de la faim et de la soif, ainsi que de la peur, de l'affliction et de toute illusion liée à la conscience matérielle réductionniste.* »

Srimad-Bhagavatam 4.29.40

C'est peut-être de cette conscience de pénurie, opposée à la conscience de la toute-puissante plénitude, que naissent la plupart des maladies qui grugent l'esprit et, par suite, le corps des hommes.

LA LIBÉRATION DE LA PEUR

L a peur du manque, l'affliction sur soi-même et sur le monde, l'inquiétude fondée ou non, rampent dans les esprits et créent toutes sortes de formes-pensées négatives. Ces formes-pensées, aux contours et aux couleurs chaotiques, sont les facteurs des désordres psychologiques dont souffre l'humanité. Il a été prouvé que 80 pour cent des maladies traitées par les médecins sont de nature psychosomatique. Quand ceux qui pratiquent la médecine d'école élargiront le paradigme qui s'en tient à l'expérimentation sur l'animal et aux lois physico-chimiques, ils découvriront la science de l'autosuggestion.

L'écoute (consciente ou inconsciente) des sons matériellement contaminés dont est saturé le monde moderne, crée une autosuggestion globale de danger, de pénurie et de violence. Ainsi suggestionné, le subconscient est hypnotisé par la peur, et la vie devient un espace réduit, minimisé par une angoisse existentielle fondée sur une profonde absence de connaissance intuitive. Le courant intuitif ainsi bloqué par une inquiétude morbide, les êtres luttent pour l'existence, croyant que les circonstances et les événements qui défilent sur l'écran de leur vie proviennent du pur hasard.

La race humaine freine son évolution en demeurant dans la petitesse et dans la crainte, bien que chaque individu qui la compose soit l'héritier des pouvoirs surnaturels de l'esprit. Par bonheur, de nombreux médecins commencent à l'heure actuelle à sortir de l'impasse où les a plongés l'enseignement scolastique. Normand Cousin, professeur à la Faculté de Médecine de l'Université de Los Angeles, ose avouer à ce sujet : « Si je pouvais offrir quelque chose aux gens, ce serait de les libérer de leur peur... car la peur crée la maladie. »

Ainsi, la peur crée le désordre cellulaire et l'écoute de sons grossiers teintés d'angoisse génère une autosuggestion de peur. Par conséquent, il n'y a rien d'étonnant à ce que l'écoute profonde de sonorités spirituelles libère les énergies subtiles de l'âme et détruise graduellement tout ce qui entache l'âme des êtres.

Ces ondes sonores mantriques représentent une arme puissante et précieuse dans l'arsenal déjà impressionnant de la nouvelle médecine vibratoire qui est en fait, faut-il le rappeler, aussi ancienne que la médecine ayurvédique.

Dans une entrevue réalisée par Michel Saint-Germain, le médecin Richard Gerber nous laisse entrevoir un être humain multidimensionnel au potentiel de guérison illimité. Il affirme :

> « *Nous avons tendance à considérer que le corps humain est animé par des forces électro physiologiques (les nerfs, etc.). Mais ce système est contrôlé par un système d'énergie supérieur qui régularise les processus cellulaires et biochimiques. Et ce système d'énergie subtile est beaucoup plus proche, en fréquences, de la force vitale. Certaines modalités de la médecine vibratoire fonctionnent à ce que l'on appelle des niveaux de réalité spirituelle élevés, qui ne sont pas largement acceptés par la science orthodoxe. Certaines factions au sein de la communauté scientifique conventionnelle y croient, mais les institutions scientifiques rejettent encore ces choses et les trouvent excentriques... La médecine dans son ensemble est en train de changer parce qu'il y a des médecins bien formés qui, graduellement, s'intéressent aux approches complémentaires et accordent plus de crédibilité à ces études. Ces approches ne sont pas destinées à remplacer, mais à étendre la science actuelle.* »

Que l'on parle de cristaux, de vibrations sonores, d'acupuncture, de corps astral, d'essences florales ou... de chirurgie, comprenons que toutes ces approches sont en réalité complémentaires et ne s'opposent nullement. Guérir revient à libérer son corps et son esprit des énergies négatives qui les diminuent. L'énergie des mantras, formules phoniques dont les effets vibratoires exercent une profonde influence sur nos trois principaux corps (physique, mental et spirituel) peut être utilisée avec succès en médecine vibratoire en nous immunisant contre les inquiétudes qui sont la source de la plupart des déséquilibres cellulaires.

« Guérir, ajoute Richard Gerber, c'est permettre le rétablissement d'un mouvement de créativité global : celui du corps et de l'âme, celui de l'individu et de la planète. »

(((ॐ)))

LA VOIE DE L'ÉCOUTE ET DU CHANT

Entendre et chanter les vibrations sonores spirituelles constitue pour tous la voie de l'harmonisation, libre de doute et de crainte. Cette voie s'offre non seulement aux étudiants désireux de parfaire leur recherche, mais aussi à ceux qui ont déjà triomphé dans leurs efforts, qu'ils soient auteurs d'actes désintéressés, philosophes ou amoureux de l'Être Essentiel (*Bhakti-yogis*). Cette voie de l'écoute et du chant ne supporte aucune limitation d'âge, de race, de sexe ou de statut social. Elle est libre, aisée et sans règles strictes concernant le lieu ou l'instant. Le plaisir d'écouter et de chanter les sons mantriques s'éveille peu à peu en soi. C'est une méthode qui n'est pas seulement réservée à ceux qui veulent mener à bien les pratiques de réalisation du soi ; elle est également recommandée aux personnes qui conçoivent de l'attachement pour la vie matérielle. Tous les maîtres de la science védique s'entendent pour affirmer que c'est là une voie certaine pour atteindre au succès parfait.

L'ÉNIGMATIQUE RÉPÉTITION VIVANTE

Celui qui n'a pas bien assimilé la force qui se dégage du phénomène de la répétition, critique quelquefois la pratique des mantras. Il faut savoir que cette critique se base sur une connaissance insuffisante de la science des mantras et sur une expérimentation incomplète de la répétition musicale active. Le musicologue Georges Balan dit à ce sujet :

« *Le message des sons est une énigme proposée à notre esprit. Celui qui sent que cette énigme recèle la clé de la délivrance spirituelle s'efforcera évidemment de la résoudre. Le seul moyen d'y parvenir est de répéter la mélodie jusqu'à ne plus faire qu'un avec elle. Il s'agit d'une répétition vivante qui se refuse à toute reprise mécanique. On y arrive en faisant résonner la musique le plus consciemment possible au-dedans de soi. Plus la mélodie sera intériorisée, c'est-à-dire chantée non tant avec les lèvres qu'avec la voix intérieure, plus elle imprégnera nos profondeurs et les fera rayonner. Pratiquée avec assiduité, cette répétition apportera lentement mais sûrement la solution de l'énigme, solution d'un tout autre ordre que celle obtenue par la voix de la raison et qui est ressentie comme un accroissement considérable de notre force psychique. Ce travail intime n'est autre chose que l'expression musicale des lois sur lesquelles repose toute méditation authentique, à savoir la confrontation avec l'énigme qui dans la tradition Zen s'appelle « koan » et la « mastication » de la formule méditative, connue surtout sous le nom sanskrit de mantram, dont l'action dans l'âme peut faire de l'homme un nouvel Oedipe vainqueur du Sphinx intérieur, qui posait d'angoissantes énigmes.* »

La répétition d'une même formule sonore n'est donc pas un obstacle, mais une aide précieuse à condition, bien entendu, qu'elle ne se fasse pas de façon mécanique ou automatique. Il est absolument essentiel que l'esprit soit entièrement disponible et engagé activement dans la répétition du chant. Si les lèvres seules s'impliquent, et que la pensée s'égare, le cœur restera vide et ne trouvera en lui-même ni la force ni le désir de goûter au mantra. Ce goût – qui n'a rien à voir avec le plaisir des sens ou les voluptés de la chair, et leur est de loin supérieur en intensité et en qualité – résulte directement de la répétition, pourvu que celle-ci soit consciente et vivante. La personne qui s'engage sincèrement sur la voie royale de la répétition des mantras dépasse et transcende toutes joies. Sa vie entière peut s'en trouver transformée. Cette expérience n'est pas la propriété exclusive de la culture sanskrite.

Dans la *Philocalie*, un des ouvrages les plus complets et les plus inspirés sur la question, on trouve de nombreuses allusions à cet indicible plaisir supérieur qui naît de la prière du cœur. Dans cette *Philocalie* – dont Nicodème disait qu'elle représentait la sauvegarde de l'intelligence et le guide infaillible de la contemplation – Isaac de Ninive, extraordinaire moine du IXe siècle, parle du plaisir supérieur et mystique qui jaillit de la répétition vivante de son propre mantra-prière, la célèbre prière de

Jésus : « Seigneur Jésus-Christ, venez en moi, Fils de Dieu. »

« Celui qui parvient à la prière constante touche aux termes de toutes les vertus et a du même coup une demeure spirituelle. Qu'il dorme, qu'il veille, la prière ne se sépare pas de son âme. Tandis qu'il mange, qu'il boit, qu'il est couché, qu'il se livre au travail, qu'il est plongé dans le sommeil, le parfum de la prière s'exhale spontanément de son âme. Il ne faut pas confondre jouissance dans la prière et vision dans la prière : la seconde l'emporte sur la première. Il arrive que le chant des paroles prenne une suavité singulière dans la bouche et que l'on répète interminablement le même mot de la prière, sans qu'un sentiment de satiété vous fasse aller plus loin et passer au suivant. Parfois, la répétition des mots sacrés engendre une certaine contemplation qui fait s'évanouir la prière sur les lèvres. Celui auquel échoit pareille contemplation entre en extase. C'est ce que nous appelons vision dans la prière, et non pas une image ou une forme fabriquée par l'imagination, comme le soutiennent les sots inexpérimentés. »

UNE ÉMOTION DE LUMIÈRE

C ette extase, ce plaisir supérieur, est le fruit mûr de la musique de l'âme. Lorsque l'action thérapeutique des sons s'additionne à l'effet des mots, on assiste à l'émergence d'une émotion surnaturelle. Cette émotion, qui transcende la simple sentimentalité, est de nature spirituelle et s'avère apte à illuminer l'être tout entier dans la mesure où elle rend possible la fusion harmonique avec la source de toute lumière. À ce moment, l'âme distincte peut percevoir l'inconcevable musique des mondes oubliés et se souvient de la relation d'Amour pur qui l'unit aux grandes familles célestes. Unifiée, elle recouvre ses immenses pouvoirs et chante à l'unisson avec toute la création. Voilà ce qui faisait dire au Père Mersenne dans son *Harmonie universelle*, publiée en 1636 :

> *« L'esprit commence à goûter la musique des bienheureux lorsqu'il perçoit l'unisson qui lui fait se souvenir de son origine et de la béatitude qu'il espère et qu'il attend. »*

LES MYSTÈRES DES FRÉQUENCES HARMONIQUES

Malgré les sceptiques, qui considèrent que l'onde sonore agit au niveau psychophysiologique comme tout dérivatif de l'attention, le musicologue Washco indique que plus les éléments mélodiques et rythmiques sont définis dans une combinaison harmonique, plus les réactions physiologiques qu'elle déclenche sont précises et plus on peut être assuré de leur apparition. Il faut signaler toutefois que les mêmes énergies musicales produisent des réactions physiologiques très différentes selon l'état affectif des auditeurs.

Quel est le mécanisme à l'origine de ces réactions sur le corps et sur l'esprit ? Pour sa part, le chercheur La Monte Young émet une hypothèse intéressante tant du point de vue de la musique en général que des vibrations sonores reliées aux incantations des anciennes traditions. Cette hypothèse tend à donner une explication rationnelle au mystérieux effet des chants de mantras, ou des prières, utilisés à toutes les époques et dans toutes les régions du globe par les peuples conscients du pouvoir des sons. Selon lui :

« *Lorsqu'une série spécifique de fréquences reliées harmoniquement est continue, elle produit ou stimule plus définitivement un état psychologique qui est rapporté par l'auditeur, étant donné qu'une telle série de fréquences déclenchera continuellement une série spécifique de neurones auditifs qui, à leur tour, exécuteront la même opération de transmission d'un modèle périodique d'impulsions à la série de points déterminés par leur correspondant dans le cortex cérébral.* »

À la lumière de cette idée, on ne peut s'empêcher de penser au fameux *raga* hindou dont les gammes précises sont censées provoquer toujours les mêmes effets. Édith Lecours, qui a étudié cette hypothèse de La Monte Young dans ses très sérieuses recherches sur l'actualité et le développement de la musicothérapie, pense qu'elle pourrait aussi s'appliquer à d'autres musiques dites « primitives », où la fonction thérapeutique fonde une précision et une circonspection dans l'utilisation des sons, dans la mesure où ces derniers sont justement prolongés et imprègnent l'individu ainsi qu'il en est, par exemple, pour les chants tibétains.

OM MANI PADME HùM : LA COMPASSION QUI GUÉRIT

Les exégètes sont unanimes pour dire que ces syllabes produisent, entre autres, la compassion. Bien qu'il y ait une multi dimensionnalité de la formule mantrique, il semble que ce soit les énergies de compassion qui se dégagent principalement lors de l'écoute ou du chant de cette combinaison de syllabes-semences et de mots-symboles. On a souvent traduit ce mantra par la phrase « Ô toi, Joyau dans le lotus » ; mais les mantras ne devraient pas être adaptés, par des interprétations philosophiques, au langage courant. Ils sont ce qu'ils sont, et l'énergie qui en émane doit avant tout être ressentie physiquement, psychiquement, ou spirituellement, plutôt qu'analysée intellectuellement, ou au moyen de la raison.

Pour illustrer ce point particulier, je ne peux m'empêcher de penser au bourdon. En effet, celui-ci, selon les mathématiques, ne pourrait pas voler, la forme de son corps n'étant pas proportionnelle à l'envergure de ses ailes. Mais le bourdon se moque des mathématiques et vole librement. Il fait appel à son instinct et non à la raison. Les mantras ressemblent au bourdon : ils ne sont pas raisonnables. Ils mettent l'intellect de côté et fonctionnent simplement en libérant des énergies qui correspondent aux sonorités qu'ils véhiculent. Donc, si nous voulons comprendre la formule sonore, nous n'avons pas d'autre moyen physique que la base de l'expérience et celle des associations multiples des mystérieuses forces contenues dans leurs mots-symboles. L'énergie des mantras ne peut tout simplement pas être comprise autrement. Plutôt que de se demander comment il est mathématiquement possible de voler, ne vaut-il pas mieux gagner un temps précieux, ouvrir les portes de son esprit et s'envoler sur les ailes du son, propulsé par les réacteurs de lumière mantrique vers les dimensions invisibles de l'existence ?

Cela dit, il est probable qu'à la clarté des données citées par La Monte Young des recherches soient entreprises en laboratoire dans un proche futur, et que les chercheurs découvrent, qu'effectivement, un certain mantra, qui est en l'occurrence une série spécifique de fréquences reliées harmoniquement, produise bel et bien un état psychologique spécifique, cet état étant lui-même déclenché par stimulation d'une série particulière de neurones auditifs qui, à leur tour, transmettent un certain modèle d'impulsions au point correspondant dans le cortex cérébral. On comprendra mieux alors comment tel ou tel son peut engendrer tel ou tel état psychologique ou physiologique. Ainsi, le mantra *Om mani padme hùm* provoque l'apparition du sentiment de compassion, automatiquement suivi par un mieux-être général caractérisé par la détente du corps et la paix de l'esprit.

Dans son livre intitulé *Les Mantras ou la Puissance des mots sacrés*, John Blofeld écrit :

« *J'ai moi-même été guéri en l'espace d'une soirée d'un mal que j'avais contracté lors d'un de mes longs voyages dans les montagnes du nord de la Chine. Étant tombé de ma mule à la suite d'un malaise, j'avais été secouru par les gens de l'auberge la plus proche. Là, je sombrai dans un profond coma. Lorsque je repris conscience, un lama mongol, au pied de mon lit, récitait à voix basse le Om mani padme hùm. Le résultat fut merveilleux ! Les douleurs et la fatigue avaient disparu. Et le matin suivant, j'étais aussi frais et dispos qu'au premier jour du voyage. Bien sûr, dans de telles circonstances, il sera facile d'objecter que l'effet bénéfique du mantra relève uniquement de la psychologie, ce que je ne conteste pas ; mais les choses ne sont pas aussi simples qu'elles le paraissent. Car l'énergie de compassion personnifiée par Avalokiteshvara est bien réelle et réside enfouie au profond niveau de la conscience. Présente en chacun de nous, bien que fortement bridée par les entraves de l'ego, elle peut être dynamisée par les syllabes du mantra, surtout si elles sont récitées dans un but altruiste.* »

(((ॐ)))

LE SON PÉNÈTRE L'ÉTHER OMNIPRÉSENT

La parole est un don de Celui par qui tout vit, le *Sat* (existence absolue), dont nous sommes les parcelles vivantes infinitésimales. Cette qualité divine est l'origine de toute création humaine. Nommez un être ou un objet, et cet être existera, cet objet se manifestera au niveau des plans subtils de l'éther. Le son ne se propage pas au niveau de l'air, mais de l'éther. Voilà pourquoi le son, le mot, le nom, mis au monde par la parole-mère, pénètrent toute chose car l'éther est l'élément subtil omniprésent sur le plan physique. En conséquence, si l'on continue à nommer un objet, une qualité particulière ou un être, ceux-ci se manifesteront dans la matière. Ce processus de création n'est en fait qu'une question de constance.

Dans la doctrine du *Vajrayana* bouddhiste, le *bija-mantra* « ah » – correspondant à la lettre A, la première de notre alphabet – représente le mystère de la parole (*vak*). Ce mystère de la parole dépasse celui qui entoure le mot ordinaire. Il est le symbole audible par lequel l'homme s'exprime et détient la force de transmettre l'œuvre de vérité. C'est le son créateur, le langage initiatique qui rallume l'étincelle de lumière spirituelle réelle au fond de la conscience de l'être radieux, entité heureuse et essentiellement immortelle. La lettre A, parole mystère, porte le secret de l'énergie sonore créatrice d'images, de rêves, de visions, de pensées, en fait, tout ce qui touche l'art, la culture et la science. Ce mystère de la parole s'avère plus que divin, il est l'Intelligence Universelle elle-même. Cette assertion se trouve corroborée par les Écritures védiques.

Krishna affirme devant Arjuna dans Son *Chant du Bienheureux : aksaranam akaro'smi* – « D'entre les lettres, Je suis le A » (*Bhagavad-Gita* 10.33). *Akara*, la première lettre de l'alphabet sanskrit, constitue le commencement de toute la littérature védique. La lettre A représente l'origine de tout son. Et le son, ou la parole, est Dieu Lui-même. *Sabdah khe paurusam nrsu* (*Bhagavad-Gita* 7.8) :

« *Je suis l'infinitude qui soutient tout, Je suis le son dans l'éther.* »

Ce verset vient confirmer l'idée fondamentale selon laquelle la lumière incréée (ou « noire » pour l'intellect humain) manifeste son omniprésence par l'intermédiaire du son pénétrant l'élément éthérique, et se trouve à l'origine de toute la Création.

(((ॐ)))

PERCEVOIR L'ABSOLU

Il est possible de percevoir la Présence Divine à travers ses innombrables énergies sonores, et ainsi réaliser Son aspect impersonnel. L'impersonnaliste, par exemple, se contentera de percevoir l'Absolu dans le son porté par l'éther partout dans la galaxie, tandis que le personnaliste n'oubliera pas de glorifier la Personne Absolue d'avoir permis aux êtres de pouvoir exprimer leurs sentiments, leurs émotions, leurs pensées, leurs joies et leurs douleurs par le moyen extraordinaire de la parole, de la musique et du chant. Il y a là une réalisation de l'Absolu sous tous ses aspects : impersonnel, personnel et localisé. *Pranavah sarva-ve-desu* (*Gita* 7.8)

« Des paroles védiques, Je suis la syllabe sacrée Om. »

L'*Om*, également appelé *omkara* et *pranava*, c'est-à-dire la vibration sonore spirituelle adressée au Suprême, et qui commence toute incantation védique, émane de Celui-ci. Les impersonnalistes, qui s'effraient à la seule idée de s'absorber en Dieu par le chant de ses innombrables Noms, préfèrent entendre vibrer le son de l'*omkara*, sans comprendre qu'il est aussi la représentation sonore de l'Aelohim Suprême. En fait, personnalisme et impersonnalisme ne s'opposent pas. Ces deux aspects de la vérité se complètent parfaitement. Pour qui connaît la *causa-causorum* de tout ce qui est, a été et sera, toute chose renferme à la fois l'aspect personnel et l'aspect impersonnel. Comme l'enseigne d'ailleurs la doctrine sublime caitanyenne de l'*achintyabhedabheda-tattva* : l'Unité et la multiplicité simultanées.

A.U.M. : DIEU SOUS FORME SONORE

L a manière dont le son peut nous donner l'opportunité de contacter les réalités transcendantales est clairement établi par Swami Bhaktivedanta dans son commentaire du *Védanta-Sutra*. Dans la deuxième partie de ce monument de la littérature ésotérique dévotionnelle, le verset 17 du premier chapitre se lit comme suit :

Abhyasen manasa suddham
trivrd-brahmaksaram param
mano yacchej jita-svaso
Brahma-bijam avismaran

Ce qui signifie: « Après s'être assis dans un lieu retiré et pur, le chercheur doit ramener ses pensées sur les trois lettres absolues (*A.U.M.*) et, en réglant sa respiration, maîtriser son mental de manière à ne pas oublier cette clé spirituelle ».

Om, l'*omkara*, la syllabe sacrée formée des trois lettres absolues – *A.U .M.* – (*suddham tri-vrt*) forme la clé, le germe premier de l'autoréalisation intime. Le réciter mentalement, tout en réglant sa respiration – technique spirituelle, conçue et pratiquée par de grands yogis, par laquelle on accède à un état de profonde oxygénation- permet de maîtriser un mental dominé par les modes de la matière. Swami Bhaktivedanta explique qu'ainsi il est tout à fait possible de se guérir des mauvaises habitudes du mental.

Certaines écoles de méditation enseignent qu'il faut « tuer » le mental. C'est une grave erreur. En effet, rien n'est plus nuisible que de vouloir supprimer l'activité mentale et les désirs de l'être par une méthode ou par une autre. C'est pourtant ce qui est le plus souvent tenté inutilement dans les centres de yoga (ashrams) mal informés...

Il faut savoir que l'activité mentale et le désir ne peuvent être freinés. Il est toutefois possible de cultiver le désir d'agir en vue de l'émancipation ultime. Pour cela, il est vain d'essayer de « tuer » le mental. C'est plutôt la nature même de ce qui fait l'objet de la pensée qui doit être transformée. Bhaktivedanta précise :

« *Puisque le mental représente le pivot, l'axe qui dirige les organes d'action, si l'on transforme la nature des fonctions mentales – penser, ressentir et vouloir – les activités des sens s'en verront par là même modifiées. Or, seul le son spirituel est à même d'apporter cette transformation souhaitée du mental et des sens, et l'omkara A.U .M. forme le germe premier, la clé de toute vibration sonore spirituelle. La puissance du son spirituel est telle qu'elle peut guérir même celui qui souffre d'un déséquilibre mental.* »

Le texte du Véda est clair au sujet de cette extraordinaire vibration – le *Sri-Caitanya-caritamrta*, Adi-lila, chapitre 7, verset 128 affirme :

Prandva'se mahavakya - vedera nidana isvara-
Svarupa pranava sarva-vis'va-dhama.

Ce qui signifie : « La vibration sonore védique *Om* (*omkara*), le mot le plus important de toute la littérature védique, est la base de toutes vibrations. Par conséquent, on devrait l'accepter comme la représentation sonore de la personnalité sublime du Dieu-Source, et la percevoir comme dépositaire de toute la manifestation cosmique. »

Par ailleurs, Krishna lui-même n'hésite pas à déclarer (*Bhagavad-Gita* 8.13) :

Om ity ekaksaram brahma

vyaharan mam anusmaran

yah prayati tyajan deham

Sa yati paramam gatim

Ce verset indique que *Om* est la représentation directe de Dieu. Si, au moment de la mort du corps physique, on se rappelle simplement de ce mantra unique, on quitte son enveloppe charnelle avec le souvenir de la présence Divine, et en conséquence, on se trouve immédiatement transféré sur les plans spirituels.

Nous verrons dans le chapitre suivant (Les Noms révélés de l'Être Divin) comment les différentes appellations de la Suprême Divinité sont puissantes. Néanmoins, l'étudiant sincère qui comprend que l'*omkara* est la représentation sonore du Divin s'apercevra que la puissance de *Om*, chanté dans cette conscience, est en tous points identique à celle des Saints Noms. (Bouddha, Iahvé, Jéhovah, Allah, Krishna, Christos, Adonaï, etc.).

Le saint philosophe Jiva Gosvami affirme dans sa thèse, le *Bhagavat-sandarbha*, que *Om* est considéré comme la vibration sonore du nom divin. Cette vibration peut délivrer l'âme des griffes de l'illusion holographique universelle (*Maya*). Le grand commentateur Sridhara Swami décrit l'Omkara comme la graine de la délivrance des mondes physiques.

L'avatar réformateur Caitanya stipule dans son enseignement que *Omkara* possède toutes les puissances de l'Absolu et n'est en rien différent de Dieu. Le chanter revient à rencontrer directement la Personnalité des Forces Créatrices de l'univers sous forme sonore.

La Mandukya Upanishad déclare que ce qu'il est possible de percevoir des plans spirituels n'est rien d'autre qu'une expansion de la puissance absolue de *Om*.

Enfin, les Gosvamis, les sages de la culture védique, donnent une explication complète de *Om* en l'analysant selon les termes de ses constituants alphabétiques :

-akarenocyate krsnah

sarva-lokaika-nayakah

-ukarenoeyate radha

ma-karo jiva-vacakah

Omkara est une combinaison des lettres A, U et M. La lettre A se réfère à l'Ami de toutes les entités vivantes et au Dirigeant de toutes les planètes matérielles et spirituelles. C'est l'onde statique selon la science des mantras. La lettre U indique la puissance du plaisir divin (*Srimati Radharani*) ou l'onde de résonance. La lettre M indique les êtres vivants. C'est l'onde oscillante, l'énergie marginale.

Les philosophes impersonnalistes (*mayavadis*) considèrent plusieurs mantras védiques comme étant *maha-mantra*, ou « grand » mantra. Selon la *Bhagavad-Gita*, la plupart de ces mantras ne sont en fait qu'accessoires. L'*omkara* par contre peut être considéré comme *maha-vakya* ou *maha-mantra*, non différent de Dieu. Une telle réalisation ne se prouve pas en laboratoire et n'est possible qu'en chantant simplement le Nom sacré de la Présence Divine, *Omkara*.

Cette combinaison de vibrations sonores (A.U.M.) n'a pas été inventée ou « fabriquée » par un être humain. En réalité, ce son « transcendantal » porte en lui une puissance spirituelle et absolue et , par la pratique du chant et de l'écoute des harmoniques qui lui sont propres, on réalise que cette puissance est Dieu-Mère Divine (en tant qu'Énergie Unificatrice totale) sous tous ses aspects.

L'*omkara* est identique à ce que nous pressentons comme Dieu. Cette Présence ne peut être vue ou entendue par des sens imparfaits. Telle est la véritable maladie de l'être conditionné.

Une formation reposant sur une technique de maîtrise respiratoire accompagnée par la récitation silencieuse, intérieure, de l'*Omkara* est donc nécessaire à la personne qui désire faire naître les réalisations spirituelles dans le mental, là où siègent toutes les activités sensorielles.

Progressivement, le son spirituel parvient à détacher le mental des activités sensorielles. Cette vibration sonore soutient la force de l'intelligence qui est alors à même de maîtriser les sens. Le mental perd ainsi graduellement l'habitude de s'absorber dans l'action uniquement matérielle. Il ne sombre pas pour autant dans une stérile inactivité puisqu'il arrive éventuellement à embrasser le service d'amour offert à l'Omniprésence Divine et à s'établir pleinement dans une conscience parfaite.

(((ૐ)))

MUSIQUE : PHYSIQUE DE L'ÂME

S i on s'en réfère au livre révolutionnaire du docteur Deepak Chopra, *Quantum Healing*. (Exploring the Frontiers of Mind/Body Medicine, éditions Bantam Books, 1989), les particules subatomiques les plus fines seraient des ondes de forme, des vibrations appelées *superstrings*, ou cordes suprasensibles, parce qu'elles réagissent exactement comme le font les cordes d'un violon... Ces *superstrings* se développent partout dans l'univers et leur nombre est infini. Elles sous-tendent toute la création. Étant donné que ce réseau subatomique se situe au-delà de notre réalité limitée à quatre dimensions, aucun instrument de laboratoire, si puissant soit-il, ne peut les observer, pour l'instant.

Cette toute récente théorie de la physique se rapproche étonnamment du texte védique qui stipule que toute la manifestation cosmique est soutenue par un Pouvoir Créateur, comme les perles d'un collier sont soutenues par un fil.

Ainsi, rien n'est inerte, rien n'est isolé. Tout vibre en interaction. Chaque organe est soutenu par une « supracorde » particulière, qui doit être bien accordée faute de quoi l'organe jouera faux. On ne peut donc plus considérer le corps comme une masse de chair inerte ; la vision ayurvédique nous le montre d'ailleurs comme un réseau de « *sutras* » , ou fils conducteurs. Le corps est une table de résonance.

Or, le meilleur moyen d'agir sur une fréquence vibratoire consiste principalement à émettre, par le phénomène de résonance, une fréquence vibratoire correspondante.

Ceci explique par exemple les succès obtenus par le médecin Desikachar qui dirige à Madras (Inde) un institut où sont enseignés la médecine ayurvédique, le yoga et... le chant. Cet institut dont parlent Cécile Baudet et Richard Belfer dans leur brillant dossier « La musique qui soigne » (*L'Impatient*, juin 1989, no 139) est reconnu d'utilité publique par le ministère de la Santé. Le docteur Desikachar souligne :

> « *Nos ancêtres avaient classé les lettres de l'alphabet en différentes catégories. Certains sons, HA avec un H aspiré par exemple, ont une action stimulante. D'autres, comme MA, chanté doucement sur une note grave, ont un effet calmant.* »

Cette connaissance a conduit les enseignants de cet institut à utiliser le chant aussi bien avec des femmes enceintes (à titre de préparation à l'accouchement) qu'avec des personnes présentant de l'asthme (pour les aider à expirer) ou de l'hypertension artérielle (pour les aider à se détendre) ou encore des maux de dos (pour corriger à la fois leur respiration et leur position).

Dans leur dossier, les auteurs citent encore Jill Purce, professeur de chant et thérapeute qui, au cours de ses travaux avec Stockhausen et des maîtres bouddhistes tibétains, découvre que :

« Beaucoup de nos contemporains sont insatisfaits de leur vie et sentent qu'une autre partie d'eux-mêmes pourrait être développée. Dans ce cas, le fait de guérir – pour les malades – n'implique pas nécessairement un travail direct sur le symptôme. Je considère la maladie comme l'expression d'un déséquilibre plus profond qu'il s'agit de corriger. Chaque instant peut être, pour chacun d'entre nous, prétexte à regretter le passé ou à craindre le futur. Du fait de cette angoisse, les choses ressemblent de moins en moins à ce que nous attendions. En fonction de nos points faibles, ce déséquilibre se manifestera par un coup de froid, un mal de dos ou un cancer. »

Ce déséquilibre est aussi un désaccord, une cacophonie d'abord mentale, ensuite cellulaire. La chose à faire est donc de calmer notre agitation mentale de manière à agir sur l'organisme. C'est là que les énergies mantriques sont réellement utiles, voire irremplaçables. C'est la raison pour laquelle un maître tibétain peut nous suggérer des exercices méditatifs qui vont nous conduire à visualiser une lettre, ou une série de lettres, un mantra, puis à le chanter. Par le chant (ou l'écoute), on obtient un effet vibratoire qui apaise l'activité mentale souvent débordante et incontrôlée, et on agit directement sur telle ou telle partie du corps.

Comme le souligne avec justesse le docteur Richard Gerber (auteur du livre *Vibrational Medicine*, éditions Bear and Co.) :

« Nous utilisons déjà la médecine vibratoire sans le savoir : toutes ces formes de traitement reposent sur l'énergie. L'establishment médical n'est pas conscient qu'il fait déjà appel à l'énergie pour la guérison. On utilise déjà les ultrasons pour dissoudre les calculs rénaux : c'est de l'énergie sonore, de la médecine vibratoire. »

Le son (comme la lumière et l'électricité) est une forme conventionnelle d'énergie électromagnétique ; utilisé en accord avec l'énergie subtile de la conscience (activée par la visualisation mentale effective alliée à la puissance de l'affirmation créatrice), cette forme d'énergie devient en un sens « toute-puissante » car elle est transmise jusqu'aux plus intimes oscillations de l'organisme par le vecteur des « cordes suprasensibles ».

Ainsi donc, l'énergie vibratoire justifie en partie les résultats obtenus en utilisant la force thérapeutique de la musique et des mantras. Ce courant sonore subatomique étant rétroactif, le réseau de cordes suprasensibles explique également pourquoi la *Bhagavad-Gita* définit le Principe-Source comme « le son qui traverse l'éther ».

C'est l'omniprésence qui soutient tout. Il n'y a plus, à ce niveau, de concept religieux (au sens catholique ou hindou du mot) ; il y a vision intuitive, connaissance, et application de ce qui a été « vu » par la tradition millénaire comme par l'expérience scientifique (physique quantique, physique micro vibratoire, médecine vibratoire, etc.). Cette omniprésence physique de particules subatomiques vibrantes et dansantes, que le physicien Fritjof Capra compare avec justesse à la danse du dieu Shiva, nous éclaire par ailleurs sur l'homme primitif (que je qualifie d'homme originel et non de « primaire », comme l'éducation conventionnelle s'évertue encore à le décrire) qui sentait et comprenait ceci : cet homme prétendument primitif, préhistorique, en imitant les sons naturels de son environnement, s'investissait de la puissance des forces qui étaient à l'origine de ces sons. Cet effet rétroactif des ondes subtiles, la science ne l'a pas encore « découvert ». L'homme primitif n'était donc pas si peu évolué qu'on veut bien nous le laisser entendre.

Cette opinion est partagée par la doctoresse Thérèse Brosse, qui a été chef de clinique de cardiologie de la Faculté de Médecine de Paris durant de nombreuses années. Dans une lettre adressée au chercheur Maud Forget, elle écrit :

« Il n'y a pas de doute que l'homme de la préhistoire avait une connaissance directe des choses, cela du fait que la stratégie évolutive qui allait nous emmurer dans un mental inexorable ne l'avait pas encore touché. »

L'énergie sonore électromagnétique consciente forme le fondement des chants et des danses rituels des chamans et des hommes-médecins de la civilisation amérindienne. Cette même énergie était utilisée lors des cérémonies brahmaniques de la culture védique et des initiations égyptiennes durant lesquelles de grandes formules phoniques, de puissantes structures sonores, mantriques, étaient chantées et entendues. Aujourd'hui, les accélérateurs de particules ont permis la découverte d'un réseau – ou courants – suprasensible inhérent à la matière. On comprend mieux comment les mantras peuvent déclencher des effets vibratoires qui exercent au niveau atomique et subatomique une profonde influence physique, psychique et... spirituelle. Les Égyptiens appelaient la musique, la « physique de l'âme ». Ce n'est pas le docteur Chopra, pour qui l'ADN est le messager du monde quantique, qui les contredira. C'est par cet infini réseau de cordes suprasensibles, que, pour les mythologues, Orphée redonna la vie à Eurydice grâce au son harmonieux de sa harpe et de la douce puissance de sa voix. C'est de cette manière également que les chirurgiens-musiciens de l'Atlantide, selon la légende, guérissaient leurs patients.

Chaque jour, chez soi, ou régulièrement au cours d'ateliers dirigés, il est permis de ré harmoniser son esprit et son corps par le son. À titre préventif ou à titre thérapeutique.

Cette harmonisation globale rejoint le rythme cardiaque, la circulation sanguine, la respiration, la digestion, mais aussi touche directement les glandes, ces organes extraordinaires dont la fonction est de produire des sécrétions et qui jouent un si grand rôle dans notre équilibre psychique et spirituel.

Il y a un peu plus de cinquante ans, les glandes endocrines étaient ignorées ; pourtant les sages de la civilisation védique en connaissaient l'existence. Chaque glande, selon le *Véda*, a une fréquence vibratoire, qui coïncide avec celle d'un *bija-mantra*, c'est-à-dire d'un son primordial (son-semence ou son-racine). Chaque glande correspond à un état de conscience qui est lui-même localisé dans un « centre » ou chakra. Dans les pages suivantes, un exercice est proposé dans lequel les centres de conscience sont réaccordés sur une juste fréquence. Il n'est pas nécessaire de comprendre intellectuellement comment ce genre d'exercice millénaire qui met en application les fondements de la médecine vibratoire fonctionne. Les Atlantes pratiquaient un exercice similaire dans leur Temple du Son. Les Égyptiens avaient les mêmes pratiques dans leur clinique-monastère qu'ils appelaient Temple de la Beauté.

Qu'on puisse ou non analyser par la raison la nature exacte du feu, il brûle. De la même manière, le son agit. L'état de plénitude et de santé qu'il provoque lorsqu'il est employé méthodiquement passe le test d'un examen scientifique minutieux pour la simple et évidente raison qu'il agit...

Les figures illustrant la méthode des sons dite psychophonie que l'on trouve dans le livre de Marie-Louise Aucher, *L'Homme sonore* (méthode déposée à l'Académie des sciences de Paris) montrent une grande similitude entre les points du corps qui vibrent en sympathie avec certaines notes et les points d'acupuncture. Lorsqu'on lui demande quels rapports peuvent se trouver entre un test sonore de psychophonie et l'acupuncture, Marie-Louise Aucher répond :

« Les Chinois ont nommé le tracé des points d'acupuncture : « Vaisseau Gouverneur qui commande les forces psychiques et physiques », les zones de résonance sont en rapport avec les points d'assentiment (« point d'assentiment » veut dire : « point de jonction harmonique »). Les acupuncteurs, en touchant avec leurs aiguilles ces points,

connaissent et utilisent depuis des siècles ces relations harmoniques. »

Plutôt qu'avec des aiguilles de métal, c'est avec de douces ondes sonores que, dans les exercices qui vont suivre, nous faisons vibrer l'énergie de ces carrefours de jonction harmonique que sont les chakras.

(((ॐ)))

RÉ HARMONISATION DES CENTRES DE CONSCIENCE (CHAKRAS)

Il est étonnant que la médecine de l'École « majoritaire » ne reconnaisse qu'un seul corps : le corps physique. Depuis des milliers d'années, les humains qui se sont élevés un tant soit peu au-delà des sensations physiques en accélérant leurs vibrations moléculaires, reconnaissent par expérience l'existence d'un corps immatériel, plus subtil que l'enveloppe charnelle. Ce corps subtil, ou astral, étant constitué d'atomes physiques subtils, ne peut être perçu par les sens grossiers. C'est la raison pour laquelle l'humanoïde qui n'est pas passé par un processus de purification visant le développement de la clairvoyance, de la clairaudience, de la télépathie, de l'intuition et de tous les pouvoirs psychiques en général, est voué à demeurer dans l'espace réduit de sa vue et de son audition physiques grossières.

Selon les anciennes médecines védiques, la véritable sécurité, la véritable santé repose avant tout sur l'harmonisation du corps subtil. Ce n'est que lorsque ce corps vibre en sympathie avec l'équilibre du cosmos, que toute la vie physique peut s'épanouir. L'aspect du corps physique est le reflet direct de l'état dans lequel se trouve le corps subtil. L'anatomie du corps subtil est connue depuis des temps immémoriaux et le *Véda* nous l'explique dans tous les détails. L'ancienne littérature chinoise nous a légué également d'importantes informations à ce sujet. Ainsi, on sait que ce corps est couvert de points spécifiques minuscules, appelés en chinois « *hsié* » qui correspondent aux points d'acupuncture. En les activant, il est possible de libérer des courants d'énergies cruciales quant au bon fonctionnement de l'ensemble de l'organisme. Certains points sont remarquables : il s'agit des centres d'énergies appelés en sanskrit *chakras*. *Chakra* signifie roue de conscience-énergie. Un système de nerfs subtils relie ces centres les uns aux autres; ce sont les nadis. La clairvoyance nous montre ces chakras sous forme de spirale ressemblant étrangement aux trous noirs de l'espace. Les chakras sont des émetteurs-récepteurs extrêmement puissants. S'ils sont déséquilibrés, ou désaccordés, tout le fonctionnement émotionnel de l'individu s'en trouve affecté. La manière dont on perçoit l'existence dépend directement de leur bonne ou de leur mauvaise harmonisation.

Toutes sortes de tensions et d'émotions toxiques bloquent habituellement ces centres, et cette accumulation d'ondes négatives nous empêche de jouir pleinement de notre héritage de vie qui est, selon les lois divines, un trésor inépuisable de sérénité et d'abondance à tous les niveaux.

Comme rien n'est laissé au hasard dans la galaxie, il est possible d'exercer une action immédiate sur les chakras. Chacun d'entre eux résonne « avec » une fréquence particulière et correspond à des plans de conscience spécifiques. Lorsque ces points vibrent en harmonie, la sensation que l'on ressent ne peut être décrite par le langage humain. Les mots qui expriment le plus ce sentiment de plénitude sont la force, la santé, la beauté, le savoir, la réussite de l'existence, la lumière vivante et l'amour pur. Ces centres de conscience sont au nombre de sept et leurs correspondances dans les différents plans visibles et invisibles, mobiles et immobiles sont illimitées.

1) Le centre-conscience de la Terre

(*muladhara chakra*)

C'est littéralement le support, la base de l'être incarné. Situé au périnée (entre l'anus et les parties génitales), il constitue le plancher de l'individu. Ce centre nous relie à la Terre-Mère et à toutes les entités vivantes qui s'y trouvent. Toutes nos peurs existentielles y résident. Le centre-racine peut aisément être nettoyé de ces tensions aussi inutiles que dangereuses par la couleur **rouge**, la note **do** et le *bija-mantra **Lam*** en laissant paisiblement le mental être absorbé par les affirmations positives correspondantes :

- Je me sens parfaitement relié à la Terre et à tous les êtres sur la Terre. Je les aime et ils m'aiment. Je n'ai donc rien à craindre d'eux et ils n'ont rien à craindre de moi. Tout va bien.

En visualisation, je laisse la couleur rouge et la vibration sonore Lammmmm... dissoudre mes peurs. Si quelque chose m'effraie en particulier, je me permets d'y penser, de le visualiser et d'admettre que cela me fait vraiment peur. Je laisse ensuite le rouge et le Lam transformer cette peur en poussière cosmique. Les tensions se relâchent. Je me sens intégré à la Terre, ainsi que relié aux êtres sur la Terre. Rien n'existe dans l'univers dont je puisse avoir peur. Je me sens parfaitement protégé et soutenu. Les forces du bien, omniprésentes, m'aiment et me protègent. Je suis l'âme immortelle, indestructible, inaltérable et éternellement heureuse.

Mantra des noms divins :

« Om Hari om »

2) Le centre-conscience de l'eau

(*svadhisthana chakra*)

C'est l'arbre magique, le totem, le siège intime de l'être, son individualisation propre, son fondement. C'est le chakra du sexe et il est relié à l'élément eau. De son bon fonctionnement dépend la créativité, la libération des frustrations sexuelles, la circulation sanguine, les relations sociales. Il réagit à la couleur **orange**, à la note **ré** et à la vibration semence **Vam**.

Les affirmations qui lui correspondent sont les suivantes :

- Je visualise la couleur orange et je chante le mantra Vammmmm... sur la notre ré. Je sens que la synthèse de ces fréquences nettoie et réactive mes organes de reproduction. Cette action équilibre parfaitement en moi l'énergie masculine et l'énergie féminine. Je suis par conséquent capable de donner et de recevoir; je suis capable de créer tout ce qu'il m'est possible de concevoir. Si je sais que je porte en moi un quelconque résidu, un complexe, une frustration sexuelle, un traumatisme spécifique, je me permets

d'y penser, de le visualiser et d'accepter que cela existe réellement, sans essayer de l'ignorer ou de le tenir caché. Je laisse maintenant la couleur et le son dissoudre cette tension et la faire complètement disparaître.

Mantra des noms divins :

« Om Namah Shivaya Om Shakti Ma »

Je sais désormais que mes relations sexuelles seront belles, libérées de la peur, de la violence et de l'égoïsme. Je suis capable de créer de belles choses. Toutes mes relations sont harmonieuses. Je m'entends bien avec tout le monde. Je n'ai plus aucune amertume envers quiconque et personne n'a d'amertume envers moi. Je n'en veux à personne, et personne ne m'en veut. Les forces du bien m'aiment et me protègent partout et toujours. Je suis l'âme immortelle, indestructible, parfaitement consciente et éternellement heureuse. Je suis une partie de Dieu. Je suis divin. Je suis un avec Dieu en qualité. Je suis d'essence divine.

3) Le centre-conscience du feu

(*Manipura*)

En sanskrit, *manipura* signifie « citadelle remplie de joyaux ». Ce centre se localise près du nombril. Il est réellement plein de trésors puisqu'il est le siège du pouvoir, de l'énergie, des sentiments personnels, de la volonté, du libre arbitre, de l'ambition. Il est relié au feu. C'est le chakra du plexus solaire, au creux de l'estomac. Il contrôle la colère. Il peut être activé et rééquilibré par la couleur **jaune**, la note **mi** et le *bija-mantra* **Ram**.

Les affirmations qui le purifient sont les suivantes :

- J'utilise maintenant la visualisation de la couleur jaune et le son-semence Rammmmm... chanté sur la note mi pour agir bénéfiquement sur ma conscience émotive. J'utilise mon pouvoir intérieur pour équilibrer ma volonté et mes émotions. Je ne prends plus les paroles et les gestes de mes frères humains comme des attaques personnelles. Je sais qu'il n'y a pas de « méchants » dans ce monde, mais qu'il n'y a que des « souffrants ». Je pardonne. Si par le passé je me suis senti brutalisé par les paroles ou les gestes de quelqu'un, je choisis maintenant d'en ressentir une dernière fois la douleur et d'admettre qu'elle existe. Ensuite, je la laisse se fondre dans l'univers, emportée par les vibrations du jaune et par le son Ram. Je sens la douleur graduellement s'en aller. Je respire le jaune et je m'absorbe dans le chant de Ram. La douleur disparaît et je me sens de plus en plus fort. Je suis le maître de mes émotions. Je suis le maître de ma volonté. Je prends conscience de mon propre pouvoir. Je suis l'atma immortel, indestructible et

éternellement heureux. Je suis d'essence divine. Je suis un avec Dieu en qualité.

Mantra des noms divins :

« Jay Ram Sri Ram Jay Jay Ram
Patita Pavana Sita Ram »

4) Le centre-conscience de l'air

(*anahata chakra*)

C'est le lotus du cœur. En sanskrit *an-ahata* signifie un son qui est créé sans être généré par une action physique. Comme un instrument de musique non soufflé, non frappé, non pincé. Ce centre électromagnétique est relié à l'âme. C'est par l'intermédiaire de ce chakra que nous ressentons l'amour. Il correspond au centre énergétique de l'amour. Si nous dirigeons cet amour vers les chakras inférieurs, nous « tombons » amoureux, et lorsque ces centres ne sont pas équilibrés, l'amour est teinté d'égoïsme, de possession et de jalousie ; ce qui bloque l'élévation de l'âme. Si nous le dirigeons au contraire vers les centres du haut, nous « montons » en amour et ce sentiment aura toutes les chances d'être très bénéfique, surtout s'il est libéré du jugement, de la culpabilité et qu'il est dirigé vers les états de conscience illimitée.

Le chakra du coeur s'harmonise avec la couleur **verte**, la note **fa** et le son-semence *Yam*. Déréglé, il provoque l'asthme, les maladies de coeur, l'hypertension, etc.

Des pierres, comme le quartz rose et la tourmaline, ainsi que l'émeraude lui sont particulièrement favorables. Il correspond à l'élément air et est influencé par la planète Vénus. Le métal qui agit le plus sensiblement sur lui est le cuivre. Lors de la réharmonisation de ce chakra, il est bon de brûler de la lavande ou du jasmin car ces herbes vibrent en parfaite harmonie avec les énergies qui y sont enfermées.

Les affirmations pour le centre du coeur sont :

- *Je respire la couleur verte et je chante le son Yammmmm... sur la note fa. Je sens que ces vibrations fortifient mon système immunitaire. Je réalise maintenant que j'ai de l'amour pour toutes sortes de personnes, indépendamment de leur condition, de leur race, de leur situation ou de leur aspect extérieur. Je sens que je les aime vraiment. J'ai de la gratitude pour toute l'humanité. Plus je donne, plus je reçois. Je sens que ces vibrations et ces énergies renforcent tout mon corps et illuminent mon esprit. Je sens l'amour pur et inconditionnel imprégner tout mon être. Je sens mon cœur s'ouvrir. Je suis capable de donner mais aussi de recevoir. Je visualise maintenant cette personne que je désire aimer de façon inconditionnelle. Cette relation est ma force et ma joie. Je suis le réceptacle et la source de l'amour. De mon âme jaillit une rivière de lumière qui irrigue la Terre entière. Je suis d'essence divine, immortelle. Je suis un avec Dieu et je suis un avec son amour. Je reçois cet amour et spontanément le redonne à tous les êtres vivants.*

Mantra des noms divins :

« Radha Govinda Radhe Radhe »

5) Le centre-conscience du son

(Visuddha)

C'est le centre de l'éther ; seul le son peut pénétrer l'éther et c'est pourquoi le *visuddha chakra* est l'émetteur-récepteur du son. Il est situé juste derrière la gorge et est directement relié à la glande thyroïde. Lorsqu'il est encombré de négativité, les symptômes sont facilement identifiables : mal de gorge, torticolis, rhume, problèmes d'oreilles et dérèglement de la glande thyroïde. Il est influencé par les planètes Neptune et Mercure. La pierre qui l'active est la turquoise. Ce chakra est celui de la communication, de l'expression, du jugement. Il s'exprime par la voix. Sa couleur est le **bleu**, sa note est **sol** et son *bija-mantra* **Ham**.

Les affirmations qui le libèrent de ses blocages sont:

- *Je visualise cette personne avec laquelle je ne peux communiquer pleinement, (cela peut être quelqu'un de ma famille, un ami, ou une relation professionnelle, peu importe). Les vibrations énergétiques de la couleur bleue et du son Hammmmm... m'aident maintenant à exprimer ce que je ressens. De plus, je peux exprimer les moindres détails de ma vie, sans conserver de secrets. Je ressens comme il est bon de pouvoir s'exprimer ainsi. Les mots s'écoulent facilement et je ne ressens plus aucune tension. Ma gorge s 'ouvre, se dénoue et je sens que je suis désormais capable de dire toutes les choses que j'ai toujours voulu dire.*

Je me souviens avoir jugé mes frères avec dureté. Je réentends chaque mot, chaque parole, chaque pensée. Je sens alors l'énergie bleue et la vibrations sonore Ham me libérer de tous ces jugements, de toutes ces paroles. Je communique mon enthousiasme aux autres et je sens que tous me comprennent. Je suis libre d'exprimer tout ce que je ressens à l'intérieur. Je suis libre du jugement et tous comprennent mon attitude positive. Je suis la libre expression de Dieu. Je suis l'âme éternellement libre de communiquer et d'exprimer tous les détails de ma vie divine.

Mantra des noms divins :

« Om Tare Tuttare Ture Swaha »

6) Le centre-conscience de la lumière

(*ajna chakra*)

C'est le troisième œil situé au front. En sanskrit *ajna* signifie commandement. C'est du troisième œil que jaillissent les formes-pensées du mental qui sont à l'origine de tout ce qui se manifeste sur l'écran de notre vie. L'être humain est ainsi doté du plus merveilleux des instruments de création. Il peut visualiser ce qu'il désire et cette image se manifeste dans son existence. Il n'y a pas de vision sans lumière. C'est par ce centre que nous possédons le pouvoir divin d'obtenir tout ce que nous choisissons, consciemment ou inconsciemment, d'imaginer. Si nous pouvons imaginer quelque chose, nous pouvons l'obtenir, l'atteindre. Par *ajna chakra* se réalise tout ce que nous souhaitons pour nous-mêmes comme pour nos frères. Par *ajna chakra*, nous sommes le commandant, l'autorité qui donne ses ordres aux circonstances de la vie. En dirigeant ce centre, nous devenons véritablement des maîtres. Nous ne sommes plus des victimes résignées face aux événements de l'existence.

La couleur de ce chakra est l'**indigo** (bleu foncé aux reflets rougeâtres ou violets) ; sa note est le **la** et son *bija-mantra* est **Om**. Il influence la glande pinéale. Son mauvais fonctionnement provoque la cécité, les maux de tête, les cauchemars. Il est influencé par la planète Jupiter. Son métal est l'argent. La pierre du troisième œil est le cristal de quartz.

Les affirmations qui influencent ce chakra sont :

- Je me concentre maintenant sur quelque chose que je désire vraiment. Cela peut être quelque chose de matériel ou de spirituel. Je visualise cette chose dans la couleur indigo en la faisant vibrer à la fréquence du son Ommmmm... sur la note la. J'imagine cet objet, cette situation ou cette circonstance dans tous ses détails. Je la touche en imagination créatrice, j'en ressens la surface. J'en respire le parfum, j'en apprécie les formes précises à l'aide de ma vision subtile ; j'en entends les bruits. Maintenant, je projette cette vision dans le monde. Je sens que cette image devient réalité dans toute sa splendeur et me comble de joie. Je sais que tout ce que je suis capable de rêver, d'imaginer, devient réalité.

Je visualise ce que je désire vraiment faire de ma vie, de mon destin. Je visualise mon plus cher désir, dans tous les détails, parfums, formes, couleurs, sons, etc. et je le projette dans le monde. Je suis le créateur des circonstances. Personne d'autre que moi n'est responsable des événements qui marquent mon existence. Tout ce que je conçois devient réalité. Je suis d'essence divine. Je suis un avec Dieu en qualité.

Mantra des noms divins :

« Om gam ganapataye namah »

7) Le centre-conscience de l'au-delà

(*sahasrara chakra*)

Ce chakra porte un autre nom : *brahmarandra*. *Randra* signifie ouverture. Ce passage nous donne accès à *Brahman*, le plan spirituel. Il est la porte du ciel située juste au-dessus de la tête, vers le corps subtil. Il s'ouvre sur ce royaume situé au-delà du temps et de l'espace. Sa couleur est le **violet**, la dernière du spectre solaire. Il vibre sur la note **si** et son *bija-mantra* est constitué de toutes les hautes fréquences sonores apparentées aux Noms Divins ; ces Noms culminent dans le *Maha-Vakya* ou *Maha-Mantra* **A.U.M.** qui est la représentation complète du Père-Mère Divin et tout ce qui est.

Ce centre magnétique est relié à la glande pituitaire. Lorsqu'il est bloqué, le corps physique et le mental réagissent par la dépression, la folie, l'ennui, l'incapacité d'appréhender la vie. Il est influencé par Uranus. Son métal est l'or et la pierre qui lui est bénéfique est le diamant et plus encore l'améthyste.

Les affirmations qui le réactivent sont les suivantes :

- *Je visualise maintenant le Dieu-Source tel que je le conçois. Cette image se tient au-dessus de ma tête, dans un bain de couleur violette. Je sens que cette image divine entre en moi et que je l'intègre. Je laisse les trois lettres sacrées A.U.M. faire vibrer tous les éléments de mon être.*

A est le Père. U est la Mère Divine, M, tous les êtres vivants et tout ce qui est. À présent je laisse la visualisation du Dieu-Source et de tout ce qui est, me porter au-delà de ma propre compréhension. De plus en plus loin, de plus en plus près. Dieu est omniprésent. Je laisse l'image divine me porter là où elle le désire. À l'extérieur comme à l'intérieur. Dans la forme comme dans le sans-forme. L'omniprésence devient palpable. Cette présence est en moi. Elle est une partie de moi et je suis une partie d'elle. Elle illumine chacun de mes chakras. Toutes les couleurs, tous les sons deviennent un. Je sens que je peux vraiment compter sur cette Présence. Elle est en moi. Elle est réelle. Elle est partout dans ma vie ; Elle m'aime. Je sais que cette relation d'amour est infinie et absolue. Je suis parfaitement aimé. Je suis l'âme immortelle, éternellement heureuse.

Mantra des noms divins :

« Hare Krishna hare Krishna Krishna Krishna hare hare hare Rama hare Rama Rama Rama hare hare »

Cet exercice de réharmonisation du corps astral peut être pratiqué chaque jour. Le matin, pour se « charger » de bonnes fréquences, et le soir, pour se « brancher » sur les Énergies Cosmiques afin de reprendre des forces physiques et subtiles. N'oublions pas, comme le soutenait le maître Hermès, que tout est vibration, rien n'est inerte, tout vibre, tout s'équilibre par oscillations compensées ; toute cause a un effet, tout effet a une cause, tout possède un principe masculin et un principe féminin, tout a deux pôles, tout est esprit. Le corps humain est une table d'harmonie, un instrument de musique qui mérite, comme tout instrument, d'être réaccordé régulièrement. Une telle « mise au point » nous donne l'assurance de connaître un état de paix inoubliable. Nous pouvons dès lors avoir accès aux régions du Pur Amour, là où se manifeste le processus des guérisons spirituelles.

À L'ÉCOUTE DES SAINTS NOMS

Le Pur Amour se manifeste par l'écoute, le chant et le souvenir de ce qui a trait à l'Éternel Père-Mère cosmique connu sous n'importe laquelle de ses multiples représentations personnelles (*sravanam kirtanam vishnou smaranam*). S'établir dans l'extase parfaite, le *samadhi*, représente le plus haut degré de la méthode prescrite précédemment.

L'expérience nous prouve que même l'état de *samadhi* s'avère inefficace lorsqu'il s'agit de maîtriser un mental absorbé dans la matière. L'histoire de nombreux yogis, témoigne de cette vérité. Le mental, bien qu'il cesse momentanément de penser aux activités des sens, se rappelle les actions du passé qui rejaillissent du subconscient et forment un obstacle pour l'âme qui souhaite se vouer totalement à la réalisation spirituelle. C'est ce qui explique l'importance de la méthode directe de l'écoute et du chant des Noms mantriques du Seigneur Souverain.

Les Écritures védiques stipulent maintes fois la supériorité de cette méthode. Elles la désignent comme « *yoginam* », la plus sûre des voies menant à l'émancipation spirituelle. Même l'être au mental turbulent sera assuré de progresser s'il emprunte cette voie sous la direction d'un maître-guide qualifié. La vibration sonore spirituelle impersonnelle (l'*omkara*), quintessence de tous les mantras, nous mène jusqu'aux rivages des Noms sacrés, à la racine des sept cosmos.

Le chant de ces mantras, et plus particulièrement le chant de *Om* détient le pouvoir de nettoyer l'intérieur. Ce processus de purification fait disparaître du mental toute la poussière karmique accumulée par le passé. Les résultats de ce chant peuvent être perçus directement sans intermédiaire. Quiconque chante ou écoute ne serait-ce que quelques minutes chaque jour, un ou plusieurs de ces innombrables mots de pouvoir, ressent tôt ou tard un plaisir transcendantal, et très rapidement devient purifié de toute contamination matérielle. Il n'y a pas dans les trois mondes, de médecine plus puissante que la musique des Saints Noms. L'influence agissante de leurs séquences sonores, qui peuvent être émises par l'intermédiaire du langage humain, représente l'outil parfait pour réveiller l'âme.

Chapitre quatre

Le Pouvoir des Saints Noms
et la Musique de l'âme

« L'Éternel est un, mais il a beaucoup de noms. »
RIG-VÉDA

« L'expérience de Dieu est un flux, une totalité, le kaléidoscope infini de la vie et de la mort, la cause ultime, le fond des êtres, ce que Alan Watts a appelé « le silence duquel proviennent tous les sons ». Dieu est la conscience qui se manifeste sous forme de « lila », le « jeu de l'univers ». Dieu est la matrice organisationnelle indicible, mais qu'on peut connaître par expérience, et qui anime la matière. »

MARILYN FERGUSON
Les Enfants du Verseau

« Le fond de connaissance renfermé dans le mantra n'est pas accessible à la pensée, mais il reviendra tôt ou tard en partage, d'une manière spirituelle, à celui qui le prononce spirituellement dans son for intérieur, alors même que les relations de mot à mot lui resteraient par elles-mêmes une énigme... Qu'on ne se préoccupe pas davantage des quelques mots de sanskrit introduits dans le texte! »

BÔ-YIN-RÂ

La Pratique des mantras

« L'horloge ne peut exister sans horloger. »
VOLTAIRE

(((ॐ)))

LE SON CONTEMPLATIF

L e mot sanskrit *mantra* signifie « libération du mental ». C'est un son, ou une combinaison de sons, qui délivre le mental de son conditionnement matériel et de ses limites. On trouve des mantras dans toutes les cultures, traditions et systèmes religieux. Ils ne sont pas la propriété exclusive de l'Orient. Certaines litanies issues du christianisme originel sont aussi des mantras. Les musulmans, les bouddhistes, les zoroastriens ont également leurs mantras spécifiques.

Dans notre société d'inspiration judéo-chrétienne, de nombreuses personnes se sentent plus en résonance intérieure avec des formules mantriques chrétiennes, plus étroitement liées à leur culture. Qu'importe le mantra, pourvu qu'on ait l'ivresse de la délivrance spirituelle, ivresse mystique que la vibration sonore ne manquera pas de faire jaillir du fond de l'entité sérieuse qui le pratique. Des âmes saintes qui ont suivi la voie d'une chrétienté authentique (au sein de l'Église catholique ou en dehors, car l'appartenance à un groupe religieux quelconque est vraiment sans importance) ont atteint les hauts sommets du détachement et de la joie intérieure par la célèbre « prière du coeur », ou d'autres incantations efficaces. Des saints ont trouvé dans les livres révélés de cette même tradition, la voie du salut par le son contemplatif.

Les Récits d'une pèlerin russe (dont l'auteur reste inconnu) cite à ce sujet un texte de Pierre Damascène qui fait partie de l'illustre Philocalie :

« Il est bon de s'entraîner à invoquer le Nom du Seigneur plus qu'à la respiration, en tout temps, en tout lieu et en toute occasion. L'adepte dit : Priez sans *cesse. Il enseigne par là qu'il est bon de se souvenir du Dieu Interne en tout temps, en tout lieu et en toute chose. Si tu fabriques quelque chose, tu dois penser à l'auteur de tout ce qui existe. Si tu vois la lumière, souviens-toi de Celui qui te l'a donnée. Si tu considères le ciel, la Terre, la mer et tout ce qu'ils contiennent, admire et glorifie Celui qui les a créés. Si tu te couvres d'un vêtement, pense à celui de qui tu le tiens et remercie-le, Lui qui pourvoie à ton existence. Bref, que tout mouvement te soit motif à célébrer le créateur; ainsi tu prieras sans cesse et ton âme sera toujours dans la joie. »*

Voyez comme ce procédé est simple, facile et accessible à tous ceux qui ont le moindre sentiment humain.

La pensée des *Védas* est en tous points identique à celle de la *Philocalie*, quand, au chapitre neuf, verset 27, la *Bhagavad-Gita* dit :

yat karosi yad asnasi yaj juhosi dadasi yat

Yat tapasyasi kaunteya tat kurusva mad arpanam

« Quoi que tu fasses, que tu manges, que tu sacrifies et donnes, quelque austérité que tu pratiques, que ce soit pour l'offrir à Dieu en toi-même. »

(((ॐ)))

LE CHANT SILENCIEUX DES CRÉATURES

La tradition soufie donne également une immense importance à la contemplation du principe divin par l'audition des sons mystiques. Selon le Coran (*Sourate* 17.44), toute créature est en état constant d'oraison. Le grand commentateur Purjavadi dit que ce chant de louange consiste en une harmonie, que l'Ancien des Jours a placée en chaque être. Dans un ouvrage intitulé *Musique et Extase* explorant le vaste champ des musiques mystiques et extatiques du monde musulman, le spécialiste Jean During explique que selon la tradition :

> « *Le chant silencieux des créatures peut être perçu par les sages au coeur éclairé, tout comme l'était l'harmonie des sphères.*
>
> *Abdulkarim Jili parle d'un degré d'illumination où le Divin se révèle par son attribut d'entendant. À certains, Dieu se révèle par la qualité de l'audition.* »

Le soufi pratique le *dhirkr*, qui est une technique de remémoration verbale, une sorte de litanie répétitive apte à lui procurer le *dhawq*, ou le goût, c'est-à-dire l'expérience directe. C'est ce goût, ce sentiment, ce plaisir immense qui est la réponse du Dieu-Source ; plaisir mystique offert en réponse au chant contemplatif. Pour l'adepte du son mystique, le sentiment extatique qui le saisit au cours de l'audition musicale (*sama*), provient des visions lumineuses qui font leur apparition et qui s'effacent. Ces visions sont aussi des états intuitifs furtifs mais inoubliables.

Lorsque ces éclairs magnifiques traversent le ciel de sa conscience, l'adepte ressent un tel bonheur que, pour lui, tous les soucis reliés à la forme manifestée sont réduits à néant. Il sait qu'il n'oubliera jamais ces instants confidentiels pendant lesquels l'être de son être s'est montré. En suivant fidèlement les instructions de ses guides, il absorbe sa pensée dans l'incantation ésotérique interne. La force du chant-prière est telle qu'elle révèle subitement un état, une connaissance universelle qui était enfouie au plus profond du chanteur.

Par la prière constante envoyée vers l'Intelligence Suprême, le récitant de même que l'écoutant connaissent des états subtils qui viennent du monde invisible. Ces états ne viennent pas du dehors car le royaume de la lumière est partout à l'intérieur. Le chant sacré, matériellement silencieux mais audible à l'oreille libre et sereine, n'apporte rien qui ne soit dans la conscience ; il fait surgir ce qui est déjà là, de toute éternité.

(((ॐ)))

LE *SHABDA*,
UNE ÉNERGIE DE LUMIÈRE CONSCIENTE

Il existe deux fonctions précises à l'audition des mots de pouvoir. D'une part, elle provoque la détente, la relaxation, et peut aller plus loin en favorisant l'élimination des émotions toxiques, la guérison du corps et de l'esprit. D'autre part, et c'est sans doute son rôle le plus important, elle nous conduit vers l'appréciation de l'être intime, et vers la prise de conscience de l'*atma*, l'âme solaire en nous.

La musique des Saints Noms est une manifestation du *shabda* ou son primordial. C'est une énergie douée des puissances créatrices et transformatrices. Cette énergie vient de Dieu et est Dieu. Le *shabda* n'opère pas par l'intermédiaire des vibrations sonores physiques. C'est une énergie de lumière consciente. Il ne faudrait pas, par contre, attribuer une trop grande importance à la manière de prononcer les mantras. Les composants sonores qui participent à leur structure n'ont que peu d'importance en eux-mêmes. Cela explique que les variantes de la syllabe *Om* (*ung* en tibétain, *ang* en chinois, et *ong* en japonais ; et même le *amen* de la tradition judéo-chrétienne) produisent le même effet mantrique. Christos, Christ ou Krishna, le Nom est le même.

Le *shabda* est le son intérieur, cette vibration non-matérielle qui a le pouvoir de libérer les forces dormantes tapies en nous depuis l'aube des temps. Nous sommes tous les héritiers et les dépositaires de ces énergies subtiles. Issu de la conscience universelle, chaque être représente une parcelle divine individuelle, un « fils de Dieu » (*aham bija-pradah pita, Bhagavad-Gita* 14.4).

Que cette étincelle divine soit arrivée au point de son évolution où elle doit habiter un véhicule charnel appartenant au règne végétal, animal, humain, angélique ou dévique ne change rien à sa position (bien que l'entité ayant acquis un corps physique féminin soit souvent plus intuitive que celle pourvue d'une enveloppe charnelle masculine, précisons que, selon le *Véda*, l'homme et la femme sont spirituellement égaux à tous points de vue). Par conséquent, en tant que parties du tout complet et absolu – fils et filles de l'unité multiple parfaite – nous avons le pouvoir et le droit d'éveiller nos forces psychiques et chakras correspondants, à la réalité supérieure de l'espace abstrait absolu. Ce réveil se fait par la vibration sonore non matérielle. Réveillées par le *shabda* – le son intérieur originel – nos énergies subtiles désenchevêtrent les centres de nos corps éthériques et dénouent ces points électromagnétiques rendus stériles et inertes par suite d'un art de vivre en désaccord avec le rythme de la vie. Ainsi, la vibration sonore spirituelle – les Saints Noms du Seigneur Infini – fait vibrer en sympathie le *shabda* intérieur, seule force capable de guérir de l'illusion (*maya*) et de transmuer le plomb de la matière en l'or de l'esprit.

L'INVISIBLE RÉALITÉ

Scientifiquement, l'illusion serait une vision holographique de l'univers. Le chercheur Pribram avait cette vision. Il pensait que si la nature de la réalité est elle-même holographique, et si le cerveau fonctionne holographiquement, alors le monde s'avère vraiment *maya*, ou une apparence magique temporaire et donc illusoire, face à la permanence du réel. Ce qui revient à dire que toutes les philosophies et les manières de vivre issues d'un matérialisme grossier se basant sur la seule réalité de la forme et de la matière sont le fruit de la plus vaste supercherie qui soit !

David Bohm – disciple d'Einstein – était parvenu à des réflexions semblables. Il décrivait, dans certains de ses principaux articles appelant un nouvel ordre en physique, un univers holographique. À ses yeux, ce qui apparaît comme un monde stable, tangible, visible, et audible est une illusion. Si la matière est dynamique, éphémère, kaléidoscopique, mouvante, elle ne peut pas être éternelle, donc réelle.

En réalité, le monde est bien réel, mais il est transitoire. Au-delà de ce monde de passage existe un ordre sous-jacent, matrice d'une réalité supérieure. L'aspect éphémère de la matière, en tant que découverte de la physique d'avant-garde, se trouve de nouveau confirmé par les Écritures védiques (*Bhagavad-Gita* 8.20) :

paras tasmat tu bhavo nyo

'vyakto 'vyaktat sanatanah

yah sa sarvesu bhutesu

nasyatsu na vinasyati

« *Sans fin, jour après jour, renaît le jour, et chaque fois des myriades d'êtres sont ramenés à l'existence. Sans fin, nuit après nuit, tombe la nuit, et avec elle, dans l'anéantissement, sans qu'ils n'y puissent rien. Il existe cependant un autre monde, lui éternel, au-delà des deux états, manifesté et non-manifesté de la matière. Monde suprême, qui jamais ne périt ; quand tout en l'Univers matériel est dissous, lui demeure intact.* »

Or, le son non matériel du *shabda* qui désigne la conscience absolue détient le pouvoir d'amener l'être conditionné au centre même de cette invisible réalité, qui existe en permanence au-delà des perceptions sensorielles physiques, mentales et intellectuelles.

UNE EXPÉRIENCE UNIQUE, ÉCOLOGIQUE

L e son possède la clé des mystères de la vie, de la création et du maintien de l'univers. La vibration sonore est également perçue comme le meilleur moyen de se dégager du conditionnement et de l'esclavage matériels. À travers les âges, les philosophes ont montré comment l'entité vivante se trouve dans un état semblable au sommeil. Le meilleur moyen d'éveiller quelqu'un est de l'appeler par son nom jusqu'à ce qu'il sorte du sommeil. Dans ce contexte, l'analogie du dormeur réveillé par le son de son nom garde tout son sens puisque celui qui est ensorcelé et empoisonné par le somnifère de l'impermanence peut être éveillé à l'éternelle réalité par les sonorités « transcendantales ». Celles-ci peuvent être entendues à travers l'écoute et le chant des injonctions sacrées (*shabda-brahma*) ou de toute autre Écriture révélée, comme par exemple le *Chilam-Balam*, le « Livre des livres », le joyau sacré des peuples précolombiens. Ces activités sont aptes à faire vibrer le *shabda* intérieur de l'être vivant et à le délivrer des blocages qui le retiennent dans les limites du monde physique.

Srnvatam sva-kathah krsna punya-sravana-kirtanah

> « *L'infiniment Fascinant se tient dans le cœur de chaque être sous la forme de l'âme suprême ; Il purifie de tout désir physique la conscience dans laquelle s'est développé un vif désir d'entendre son message.* »
>
> *(Srimad-Bhagavatam 1.2.17)*

Le son transcendantal, le message de l'Être Divin contenu dans le *shabda-brahma* n'est en rien différent de la vérité universelle. Ainsi, chaque fois qu'on écoute ou rapporte cette vibration sonore, l'âme du Dieu interne manifeste sa présence personnelle sous la forme du son qui renferme toute sa puissance. Cette puissance est seule capable de purifier l'être intime de toutes ses entraves.

Le mieux-être qui ne manque pas de suivre représente une expérience unique, inoubliable et profondément initiatique.

Ce *shabda-brahma* purificateur, on le retrouve dans toutes les grandes révélations qui visent le réveil et l'élévation de l'âme humaine.

Que ces révélations bienfaisantes soient issues d'une civilisation orientale, occidentale, lémurienne, égyptienne ou atlante est sans aucune importance. Ce qui compte, ce sont les connaissances qu'elles portent ; connaissances universelles, pratiques et utiles en ce qui concerne la guérison radicale et sans compromis des plaies environnementales et psychologiques causées par les erreurs planétaires des adeptes de l'exploitation matérielle à tout prix.

Il est nécessaire et urgent que l'expérience unique de la vibration sonore spirituelle soit vécue partout dans le monde, car cette expérience déclenche un changement profond dans l'âme des individus. Par ce processus, l'homme barbare, retardataire, développe graduellement sa conscience d'être humain et reprend contact avec la personne vivante qui le porte, la Terre-Mère. Il reprend alors conscience qu'il est irrémédiablement relié aux océans, aux forêts, aux fleuves, aux montagnes et aux plaines. Il comprend que chaque blessure qu'il inflige à la Terre, et aux êtres qui vivent sur la Terre, se retrouve indéniablement tatouée dans son âme et son corps, à l'encre de la guerre, de la famine et des catastrophes écologiques. Dès lors, il devient l'adulte solaire et cesse de se lamenter et de s'autodétruire.

(((ॐ)))

GUÉRISON PAR LE MANTRA DU SOLEIL

Toutes les forces mantriques représentent un appel. En d'autres termes on se sert de ces formes sonores pour obtenir quelque chose. Parfois, ce sont des sons qui agissent directement sur la matière ; d'autres fois, le mantra est adressé à la déité-force qui préside un élément physique particulier. Le mantra *Om ghrami suryay namah* par exemple se chante lorsqu'une grave maladie apparaît. Il se pratique alors que le soleil est à moitié levé. Le patient se tient debout face aux rayons solaires, en tenant dans la main droite un pot de cuivre rempli d'eau pure. Il offre alors l'eau au soleil et chante trois fois le mantra. Ensuite, il est recommandé de réciter ce mantra autant de temps qu'on le désire, jusqu'à la guérison.

Ce rituel de purification est mentionné dans un recueil très ancien intitulé *Aditya Hriday*, donné en sanskrit par Krishna à l'un de ses fils, Samb, qui était alors atteint d'une maladie incurable. Au bout de quelque temps, Samb guérit. L'histoire de ce mantra très particulier m'a été rapportée par le fameux Ramesh Chandra Jyotishi, astrologue de Vrindavan (Inde), qui porte également le nom de Mauna Baba.

Il existe des mantras pour tous les besoins. Certains apportent la richesse, d'autres la protection ; d'autres encore, la santé. La liste est infinie et il existe autant de possibilités mantriques qu'il y a de désirs dans la psyché des êtres. Pourtant, nous allons voir que les mantras les plus libérateurs sont ceux qui sont diamétralement opposés aux demandes du « moi ». Il s'agit de mantras qui ne représentent pas des requêtes mais qui, reçus par le processus de la succession disciplique, sont formés des Noms révélés de l'Être Divin, sous ses multiples aspects absolus, et qui se chantent de façon tout à fait spontanée.

$$(((\;ॐ\;)))$$

UNE PURE LUMIÈRE D'AMOUR

De tous les mantras connus, les « mantras des Noms » sont les plus puissants car ils sont auréolés d'une pure lumière d'amour, et l'âme qui les chante n'attend rien en retour. Les réciter est un acte gratuit, dévotionnel. Le chant des Saints Noms n'est pas le résultat d'un calcul quelconque, d'un « commerce » avec les forces divines. Ces mantras correspondent à un sentiment spontané qui jaillit des profondeurs du coeur.

Tous les grands penseurs en visualisation et en affirmation créatrice sont unanimes pour dire que la parole est d'autant plus puissante et efficace qu'elle est prononcée non pas dans un état d'esprit de manque, d'imploration ou de sollicitation mais bien comme un remerciement, en sachant qu'on a déjà reçu.

(((ॐ)))

UN CHANT D'ALLÉGRESSE D'UNE PUISSANCE INCONCEVABLE

Souhaiter ou réclamer la santé, par exemple, donne la preuve au subconscient que le corps ne la possède pas et que par conséquent, elle nous manque. Or, en aucune manière, le manque ne peut créer le plein. Un manque entraîne indubitablement un plus grand manque. Comme le succès entraîne le succès, la sensation de vide ou de l'absence de quelque chose provoque réellement un état de vide. Similairement, les ondes vibrantes qui irradient d'un sentiment de peur attirent immanquablement les événements qui sont à l'origine de ce sentiment. Avoir peur de quelque chose est le meilleur moyen pour que l'événement redouté se manifeste. Sentir la réalité d'une circonstance attire infailliblement cette même réalité.

La véritable affirmation créatrice positive n'est donc pas une demande ou une question, mais bien une réponse correspondant à un sentiment de plénitude.

Dans la pratique des Noms sacrés, la même loi agit. C'est pourquoi le chant des Saints Noms n'est pas une prière au sens où on l'entend généralement, car une prière comprend le plus souvent une pétition. On réclame la satisfaction d'un désir, on implore quelque chose. En opposition à cet état de sollicitation, le mantra des Noms révélés est libre. Sans supplique, il procure une joie sans limites, inexprimable par le langage humain. L'âme qui pratique un tel chant – quel que soit le Nom particulier vers lequel elle se sent attirée, et, s'il y a lieu, quel que soit le système de pensée qui l'inspire – n'exige rien, n'implore rien, ne mendie rien, ne requiert rien. De ses lèvres sort uniquement un chant d'allégresse qui ne commande ni n'ordonne. Le seul désir qui reste encore est le désir de demeurer dans la présence extatique du Nom, car Dieu, La Personne Suprême, n'est absolument pas différent de Son Nom. Grâce à cette non-différenciation qui les rend inséparables de l'absolu, les Noms sacrés sont les dépositaires de puissances spirituelles inconcevables.

UN ÉTAT DE NON-DIFFÉRENCIATION

A u niveau physique et dans un sens matériel, le nom est différent de la forme. Le langage – cette fonction d'expression de la pensée et de communication entre les hommes – n'est en effet qu'une simple représentation symbolique. Les signes vocaux et les signes graphiques représentent tel ou tel objet ou personne, mais n'incarnent pas la réalité qu'ils cherchent à évoquer, imiter, ou bien remplacer. Nous avons vu qu'ils servaient à construire des « ponts » de résonances harmoniques entre la personne qui les prononce et les objets ou les êtres qu'ils représentent. Ce sont, si on peut dire, les ambassadeurs de la réalité, mais ils n'en sont que les symboles. Le mot eau « n'est » pas l'élément eau ; il ne fait que nous y relier harmoniquement.

Dans le domaine des Noms sacrés au contraire, le symbole incarne la réalité. C'est pourquoi selon la pensée védique, le Nom Divin est l'incarnation sonore de l'Être Divin. On trouve des informations précieuses sur sa souveraine efficacité dans toutes les Écritures saintes, telles que la Bible, le Coran, la Torah, etc. Mais c'est probablement dans les *Védas* que les références aux multiples fréquences absolues sont encore les plus nombreuses et les plus précises.

Ainsi, la manière dont, dans leur état de non-différenciation, ils manifestent une énergie unique, est expliquée dans le *Padma-Purâna* :

> « *Les Saints Noms procurent aux âmes qui les chantent une joie sans limites. Ils accordent toute bénédiction spirituelle, car ils sont Dieu lui-même, le réservoir cosmique du plaisir ultime. Ces Noms sont complets en eux-mêmes, et représentent la forme parfaite de toute paix et de toute maturité transcendante. Ils ne correspondent pas à un son ou à un nom matériel sous quelque condition que ce soit, et ils ne sont pas moins puissants que la Source de toutes les énergies cosmiques. N'étant pas souillés par les vibrations matérielles, ils ne sont jamais impliqués dans les jeux de l'illusion. Libres et absolus, ils ne sont jamais conditionnés par les lois de la nature physique.* »

DES SONS QUI PROVIENNENT D'UN AUTRE MONDE

Le célèbre poète vaïshnava du XVIIe siècle, Narottam, qui pratiquait le chant du Nom, a écrit :

golokera prema-dhana hari-nama

sankirtana

« *Les vibrations sonores transcendantales des Noms Divins n'ont d'autre origine que le monde de non-matière, le royaume spirituel.* »

Deux cents ans plus tôt, l'avatar Caitanya chantait dans les couplets de son *Shikshastak* :

« *Ô Intelligence sublime, Tes Noms innombrables sont investis de toute bonne fortune pour les entités vivantes de l'univers. Des noms, Tu en possèdes un nombre illimité et par eux, Tu T'expands à l'infini. De plus, chacun de ces Noms est chargé d'une énergie spécifique toute-puissante.* »

Les différentes fréquences sonores par lesquelles est appelée la réalité cosmique ne sont donc pas composées de syllabes ou de sons ordinaires. Ce sont des sons qui proviennent de l'autre monde, d'un monde qui se situe au-delà de l'atmosphère matérielle. Toutefois, la nature divine du Nom révélé demeure un mystère total pour l'âme qui l'approche uniquement par la logique et l'argumentation intellectuelle. Seule l'entité qui a la possibilité de dépasser tout concept et tout préjugé, et qui s'engage directement dans la pratique du chant dans un état d'esprit simple, sans dédain ni orgueil, mais avec confiance et amour, pourra comprendre et goûter pleinement l'extase du son suprême. Les ondes radio invisibles voyagent d'un endroit à un autre, et peuvent être entendues quand un récepteur électronique les reçoit. De la même manière, les ondes spirituelles peuvent être perçues et assimilées par l'être équipé des qualités adéquates pour les recevoir : la paix de la conscience, et l'ouverture du coeur au pur amour. En outre le sentiment d'un besoin de libération et le goût de l'expérimentation seront de précieux atouts pour la personne qui s'engage sur cette voie.

(((ॐ)))

À L'INSTANT DE QUITTER LE CORPS

La Bible des chrétiens, le Coran des musulmans, la Torah des juifs, le Véda des Hindous et tous les livres qui apportent la lumière à l'humanité sont au moins unanimes sur un point majeur : le principe divin – quel que soit le Nom, l'Aspect ou les Actes qu'on Lui attribue – est la source de toutes les entités. L'être vivant est donc le sous-produit d'une semence toute-puissante quelle que soit la culture, la tradition, la religion ou la région du monde auxquelles il s'identifie dans cette vie présente.

En outre ce « sous-produit » possède le même potentiel qualificatif que son créateur. Le maître Jésus affirme cette vérité depuis 2000 ans :

> « *Vous êtes parfait comme votre Père Céleste est parfait.* »
>
> *(Manuscrits de la Mer Morte)*

Le *Véda* nous enseigne clairement que l'être vivant est à la fois un avec le Père universel et simultanément différent de Lui (*achintya – bhedabheda – tattva*). En tant que partie et parcelle du tout complet et absolu, l'étincelle spirituelle divine en possède exactement les mêmes qualités. L'éternité (*sat*), la conscience (*chit*) et le bonheur (*ananda*) sont donc l'héritage surnaturel de toutes les entités. L'unique différence entre l'Âme Cosmique et l'étincelle infinitésimale est quantitative, bien qu'au niveau absolu tout soit Un en essence.

Depuis des temps immémoriaux, l'âme conditionnée par la matière choisit d'expérimenter toutes sortes de situations dans le but de diriger et de contrôler la création selon son bon vouloir et son bon plaisir. C'est la raison pour laquelle elle revêt un corps physique qui lui sert de véhicule pendant quelques années terrestres. Après quelque temps, ce corps éphémère retourne aux éléments et par conséquent, l'être vivant le quitte pour en réintégrer un nouveau ; les formes et les qualités de ce nouveau véhicule de chair étant déterminées par les activités, les désirs et souvenirs emmagasinés durant la vie de l'âme dans le corps précédent. À ce sujet, la deuxième section de ce texte unique qu'André Malraux disait composé de paroles divines, la *Bhagavad-Gita*, est on ne peut plus précise :

> « *À l'instant de la mort, l'âme prend un nouveau corps aussi naturellement qu'elle est passée, dans le précédent, de l'enfance à la jeunesse, puis à la vieillesse. Ce changement ne trouble pas qui a conscience de sa nature véritable. Sache que ne peut être anéanti ce qui pénètre le corps tout entier. Nul ne peut détruire l'âme impérissable. Seuls les corps qu'elle emprunte sont sujets à la destruction. L'âme ne meurt pas avec le corps. Vivante, elle ne cessera jamais d'être. À l'instant de la mort, elle revêt un nouveau corps, l'ancien devenu inutile, de même qu'on se défait de vêtements usés pour en revêtir de neufs.* »
>
> *(Bhagavad-Gita 2.13.22)*

Et au sixième verset de la huitième section du même texte, on trouve l'information fondamentale suivante :

yam yam vapi smaran bhavam

tyajaty ante Kalevaram

tam tam evaiti Kaunteya

sada tad bhava-bhavitah

« Ce sont les pensées, les souvenirs de l'être à l'instant de quitter le corps, qui déterminent sa condition future ».

Il est donc possible de modifier sa condition au moment critique de la mort physique. La question est de savoir comment quitter son corps, c'est-à-dire « mourir », dans la condition mentale voulue. Nos pensées à l'instant de la mort sont principalement déterminées par la somme des actes et pensées de notre vie entière. Ces actes et pensées sont eux-mêmes déterminés par l'écoute et le chant des paroles, des musiques et de toutes les ondes sonores qui imprègnent constamment notre subconscient. Ce sont les vibrations sonores que l'on perçoit dans le présent qui décident de notre condition future. Ainsi, spirituellement absorbé dans l'illumination intérieure au cours de cette vie par l'écoute des Noms sacrés et de la Musique Pure Universelle, nous pourrions acquérir en quittant notre enveloppe charnelle actuelle, un corps spirituel, éternel, conscient et heureux, d'une structure moléculaire différente.

LA GRANDE ILLUSION

Hypnotisé et étroitement conditionné par l'atmosphère de matière, l'être vivant baigne littéralement dans un monde de rêves et d'illusions qui ne sont jamais le fruit d'un soi-disant hasard, mais qui au contraire sont à la mesure de ses propres inclinations, de ses propres pensées et souvenirs. Cette condition hypnotique de mort et de renaissance (*samsara*) correspond d'une part, pour l'être vivant, à l'oubli de la source originelle et, d'autre part, à un état de torpeur chronique dans laquelle l'âme est graduellement tombée, en perdant, de renaissance en renaissance, conscience de son inhérente sérénité, de son éternité constitutionnelle et de sa prodigieuse origine céleste. Cet état de torpeur, comparable au sommeil profond, est à l'origine du drame des civilisations et des empires matérialistes qui, par pure ignorance de la réalité, basent leur connaissance sur l'observation sensorielle imparfaite, leur équilibre monétaire sur une interprétation totalement inconséquente des richesses de la Terre, et leur bonheur sur une excitation des sens laborieuse, ingrate et dangereuse.

Cette manière de vivre s'avère très risquée. En effet, face aux lois qui régissent l'univers, ces sociétés ne peuvent jamais bénéficier de circonstances atténuantes, et elles sont irrémédiablement balayées par les vagues du temps. C'est ainsi que régulièrement, les civilisations athées, c'est-à-dire désaccordées par rapport aux harmoniques fondamentales de l'univers, disparaissent de la surface du monde tant elles s'éloignent des véritables valeurs de l'existence. Ces chutes et ces destructions des grands empires matérialistes, qui font malheureusement l'histoire du monde, correspondent au grand sommeil de l'âme conditionnée qui s'attarde douloureusement à rechercher la vie sur des voies qui ne mènent qu'à la destruction.

Vouloir acquérir le bonheur en s'engageant dans des activités qui ne visent que la satisfaction du corps et du mental s'avère être pour l'âme spirituelle la pire des erreurs. Il est urgent de comprendre que le monde ne peut survivre qu'en s'éveillant à la vérité de l'âme. Toute autre considération, fût-elle économique ou politique, ne présentera qu'un intérêt mineur et entraînera la planète encore plus loin dans l'obscurantisme, la guerre, la sauvagerie et finalement, l'annihilation.

ÉVEILLER CELLE QUI DORT

S i l'on considère un poisson hors de l'eau, aucun objet, aucune situation ne peut pleinement le satisfaire. La seule chose qui puisse réellement le combler sera de retourner dans son élément : l'eau. Similairement, rien n'est apte à parfaitement satisfaire l'être vivant en dehors de la vibration sonore spirituelle, qui est véritablement son éternel élément. L'âme individuelle est une parcelle de l'âme universelle ; sa position cosmique consiste donc à vivre, à aimer et à œuvrer spontanément en harmonie avec l'ensemble de la galaxie. Toutefois l'état de sommeil chronique dans lequel elle a sombré l'en empêche. Chacun a donc pour mission d'éveiller en lui cette merveilleuse étincelle qui dort depuis si longtemps. Tel est le véritable but de nos vies humaines avant que les rêves et les illusions ne nous emportent vers des conditions d'existence encore plus difficiles.

On reconnaît universellement que le son a le pouvoir de sortir du sommeil et d'éveiller la conscience. Qui n'a pas expérimenté la sonnerie d'un réveille-matin ou d'une alarme ? Dans le même ordre d'idée, l'âme endormie dans le lit du monde physique peut être éveillée à la vie réelle par la vibration sonore spirituelle. Celle-ci est principalement présente dans le son des Noms sacrés qui désignent le principe cosmique essentiel. Elle s'y trouve enfouie, cachée, et un des moyens de la percevoir est de partir à sa recherche par la pratique de l'écoute et du chant de ces Noms fabuleux.

Caitanya enseignait il y a 500 ans :

Namnam akari bahu-dha nija-sarva-saktis

« La vibration sonore de Ton Nom peut seule, ô Seigneur, combler l'âme de toutes les grâces. Or des noms sublimes, Tu en possèdes à l'infini, investis de toutes tes puissances spirituelles ; pour les chanter, aucune règle stricte. »

(((ॐ)))

LA HAUTE RÉALITÉ DU SON INTÉRIEUR

Ce n'est pas nouveau. L'illustre Gitopanishad mentionne depuis des milliers d'années le caractère sacré du chant et de l'écoute des Noms Divins :

« Parmi les vibrations du son, Je suis Om, la syllabe absolue, et parmi les moyens de réalisation spirituelle, Je suis le japa, le chant des Noms sacrés. »

(Bhagavad-Gita. 10-25)

La Bible elle-même enseigne :

« *Quiconque appellera le Nom du Seigneur sera sauvé.* »

(Actes)

Les Psaumes donnent le moyen par lequel l'âme se libère des contingences matérielles :

« *Que les fils de Sion louent le nom de Iahvé par la danse et le chant.* »

Cette vibration sonore divine qui supporte le pouvoir d'éveiller l'âme endormie, c'est l'éternel *shabda-brahma*. Originellement, le *shabda-brahma* se compose des noms, des actes, des attributs et des qualités de la plus haute réalité. Le *shabda* est, nous l'avons vu, le son intérieur originel. C'est cette vibration non-matérielle qui jouit du pouvoir de libérer les forces dormantes, tapies en nous depuis l'aube des temps. Nous sommes tous les héritiers et les dépositaires de ces énergies subtiles. Le réveil de ces énergies peut se manifester au moyen de cette force occulte. Ainsi réveillées, nos énergies subtiles désenchevêtrent les centres de nos corps éthérés et dénouent les points électromagnétiques, rendus stériles et inertes par suite d'un art de vie en désaccord avec le rythme de l'univers. La vibration sonore spirituelle fait vibrer en sympathie tout l'intérieur de l'être, et cette force unique est capable de guérir des illusions inhérentes au monde actuel.

UN CHANT EMPLI DE PAIX

« Il faudra que l'être humain apprenne à se servir du son, s'il veut participer d'une manière quelconque à l'œuvre divine. La première manifestation magique sera donc l'incantation. Le prêtre – quelle que soit la forme religieuse à laquelle il appartient – devra être le prêtre « juste de voix » de l'Égypte, ou le chanteur de l'Inde, ou le héros solaire des mythologies, le grand Hermès dont le chant faisait venir vers lui les fauves ivres de joie. »

C'est ainsi que s'exprime Anne Osmont dans son ouvrage intitulé *Le Rythme, créateur de forces et de formes.*

Un des plus beaux fruits de la musique de l'âme consiste à apaiser la crainte et la colère. Quelle que soit notre appartenance culturelle ou idéologique, notre « chant » – lorsqu'il sonne juste et vrai – détient le mystérieux pouvoir de transformer un fauve en un être plein de douceur et d'amour. Il est essentiel de réaliser que la force que l'on projette dans le chant, dans le son, dans la parole et dans la musique entre, pour une grande part, dans la réalisation de l'œuvre divine, car celle-ci s'appuie sur l'onde musicale. Le mode d'expression, la motivation du chanteur, sont essentiels pour obtenir un effet sensible. La pacification humaine et universelle est le chant sacré en lui-même, lorsqu'il est porté par l'intention du chanteur. La formule chantée peut alors libérer toute sa force et toucher non seulement les choses extérieures, mais également les rythmes intérieurs de l'univers matériel ou céleste. À ce niveau de compréhension, le son devient une vibration comparable à une sorte de magnétisme agissant sur la nature secrète des êtres, beaucoup plus efficacement que sur les organes visibles. De là vient également la puissance des mantras. Le chant incantatoire, rythmé et chanté, se « charge » de l'intention de celui qui le fait vibrer. À ce moment, il devient irrésistible.

Le *Gandharva-Véda*, le livre du chanteur céleste, est un véritable traité du chant sacré et de la musique magique, et plusieurs de ses chants peuvent conduire l'adepte jusqu'à certains états d'extase. Pour exprimer leur puissance, l'histoire raconte que Ravana – le magicien qui sut enlever Sita à Rama mais ne put la séduire (parce que le véritable amour est une magie infiniment plus puissante que toutes les autres) – avait encouru par son audace la colère de Shiva. Un seul des regards de Shiva pouvait réduire en poussière le présomptueux magicien. Ravana se rappela soudain le « chant qui apaise la colère » et, ayant évoqué ce véritable chant des sphères, il fit entrer la paix et l'amour inconditionnels dans le cœur du dieu irrité, obtenant ainsi son pardon.

DES SONS QUI CALMENT LES TIGRES

Il suffit de relâcher la tension des muscles, de respirer profondément et, en visualisant une image paisible, de répéter lentement le mot *Shanti* (paix), précédé et suivi de la syllabe *Om*, pour réellement sentir la plus merveilleuse des sensations : la paix.

Dans le *Sri Caitanya Charitamrita* de Krishnadas Kaviraj Goswami, on peut lire l'histoire du grand saint Mahaprabhu qui, à l'instar d'Hermès et du pouvoir transformateur de sa lyre, pouvait charmer les fauves par le seul son de sa voix. Le texte raconte qu'un jour Mahaprabhu traversait la jungle de Kataka, au Bengale, complètement absorbé par le chant du mantra aux 32 syllabes, le mantra de l'ancien *Purâna*, composé des Saints Noms Krishna, Rama et Hare :

Hare Krishna Hare Krishna

Krishna Krishna Hare Hare

Hare Rama Hare Rama

Rama Rama Hare Hare

Attirés par le son de sa voix, les nombreux tigres dont la jungle était à l'époque peuplée, l'entourèrent mais sans lui faire le moindre mal. Lorsque Balabhadra Bhattacharya – le compagnon de Mahaprabhu – le vit toucher un des tigres du pied, il en fut pétrifié de terreur. Mais l'attitude du tigre le surprit encore plus. Le fauve se leva sur ses pattes arrières et se mit à rugir de bonheur. Il commença ensuite à danser au rythme du mantra, ensorcelé par la douce voix de Mahaprabhu.

Dans toutes les civilisations, dans toutes les initiations, nous trouvons cette certitude que le son – et en particulier le son absolu des Noms qui désignent la Puissance Divine – représente la plus puissante des énergies transformatrices que l'on connaisse dans la création.

MAHA-MANTRA :
DIEU SOUS FORME SONORE

L'anecdote qui précède, montre à quel point le mantra aux 32 syllabes (appelé également *maha-mantra*, ou grand mantra) peut être puissant – Les anciens *Purânas* décrivent en fait ce mantra comme étant « Dieu sous forme sonore » au même titre que la vibration *A.U.M.* Il n'est donc pas étonnant que, chanté avec un mental purifié, il ait le pouvoir de faire danser les fauves. Le chant de ce mantra est si puissant qu'il irait jusqu'à pénétrer l'ouïe des arbres et des plantes ! Que dire alors des animaux et des êtres humains...

L'histoire du maître Haridasa raconte qu'il lui fut demandé comment les arbres et les plantes pouvaient être délivrés de la contingence matérielle. Haridasa répondit que le chant à haute voix du *maha-mantra* apporte non seulement un inestimable secours aux êtres conditionnés par une forme de vie végétale, mais qu'il fait également du bien aux insectes, et que tous les êtres vivants peuvent en profiter. Le pouvoir spécial du *maha-mantra* provient de son origine céleste. Cette catégorie de Hautes Vibrations Sonores est apportée sur la Terre régulièrement depuis des milliers d'années par des Entités venues des sphères de l'Invisible.

Il en est ainsi pour le nombre illimité des diverses révélations audibles (Christos, Allah, Bouddha, Iahvé, Adonaï etc.) connues sur Terre. Il est bien évident que dans d'autres endroits de l'univers, ces fréquences sonores sont distinctes de celles connues sur Terre. Ces disparités sont causées par la diversité des langages et par les perceptions plus ou moins précises des réalités divines. L'entité céleste ou l'envoyé spécialement mis en pouvoir qui se manifeste dans une culture particulière transmet la vibration sonore spirituelle à une entité conditionnée par les modes de la matière. Cette entité s'en trouve graduellement purifiée et transmet elle-même la révélation audible à d'autres entités. C'est ce qui est appelé système de succession disciplique ou *parampara*. Ce système est apte à réveiller l'incommensurable énergie de la fréquence primordiale qui se trouve en chacun de nous. La seule condition pour en libérer toute la puissance est de l'entendre, de la chanter ou de s'en souvenir avec une grande pureté de cœur et de n'avoir aucune motivation d'ordre matériel.

UNE MULTITUDE DE NOMS POUR UNE MÊME ESSENCE

Dans un ouvrage intitulé *Sri Caitanya-Shikshamrita* (L'Enseignement sublime de Sri Caitanya), Srila Bhaktivinode Thakur – un des plus grands philosophes de l'Inde – explique clairement de quelle manière les différences superficielles qui existent entre les multiples Noms sacrés des grands systèmes religieux n'ont en fait aucune espèce d'importance. Selon Bhaktivinode, bien que la nature humaine soit la même partout, les peuples qui vivent dans des pays et sur des continents différents acquièrent diverses caractéristiques secondaires. Impossible de trouver en ce monde deux peuples qui aient la même seconde nature. Si chez deux frères nés du sein de la même mère, nous observons des divergences de personnalité et d'apparence, il est alors tout à fait naturel de noter une disparité entre les hommes nés en différentes régions du globe.

Dans ces contrées, des phénomènes comme la localisation des emplacements d'eau, les mouvements de masses d'air, les montagnes, les forêts, et la quantité disponible de toutes sortes de nourritures et de vêtements montrent tous un aspect fort varié. En conséquence, certaines différences apparaissent naturellement dans la physionomie, la position sociale, l'activité, la musique, la religion, la manière de se vêtir et de se nourrir. Chaque nationalité ayant une disposition d'esprit particulière, les diverses conceptions de la réalité sembleront superficiellement opposées, bien que de même essence. Ce qui paraîtra opposé (sans l'être vraiment) sera le nom par lequel chaque nation déterminera le principe divin universel.

Alors qu'en différents endroits, des peuples s'éveillent de leur condition primitive et graduellement développent culture, science, lois et dévotion envers la substance universelle, leur adoration diverge également dans le vocabulaire, les costumes, la nature de l'offrande, la musique et l'attitude intérieure. Toutefois, si nous considérons toutes ces apparentes disparités d'un point de vue impartial, nous ne rencontrons aucune contradiction ni aucun défaut, aussi longtemps que l'objet d'adoration reste le même. Il convient donc d'exécuter dans le mode de la pure vertu notre chant méditatif inspiré, ou notre chant mantrique, sans jamais ridiculiser les codes de méditation d'autrui.

Pourquoi un chrétien devrait-il faire la guerre à un musulman ? Pourquoi un bouddhiste devrait-il juger un hindou ? Tous les humains sont des chercheurs dans l'immense cosmos, et ils pressent la même Énergie simultanément personnelle et impersonnelle. Ils devraient donc unir leurs efforts, leurs témoignages et leurs recherches. Sous l'influence des facteurs mentionnés plus haut, les systèmes d'élévation de la conscience mis en application dans le monde se distinguent par 5 grandes différences :

1. différents maîtres spirituels ;
2. différents états émotifs liés à la méditation ;
3. différents rituels ;
4. des affections et activités différentes à l'égard de l'objet sur lequel on se concentre ;
5. des terminologies et appellations différentes, résultant de la diversité des langues.

Suivant la variété de guides et de textes révélés, en certains endroits les hommes honorent les sages de la culture védique, en d'autres lieux ils révèrent Mahomet et ses prophètes, alors qu'en d'autres régions encore ils s'attachent aux personnes saintes qui suivent l'enseignement de Jésus. Similairement, chaque localité montre un respect particulier pour divers grands philosophes. Chaque communauté devrait bien sûr honorer correctement ses propres maîtres spirituels, ses propres guides, ses propres professeurs, mais personne ne doit essayer de prouver la supériorité des instructions de son maître, sous prétexte d'acquérir de nombreux partisans. La propagation de telles positions antagonistes serait désastreuse. Les rites prescrits, en ce qui concerne l'adoration, varient selon la mentalité et les sentiments dévotionnels de la personne. Dans certains endroits, le spiritualiste s'assied en un lieu de pouvoir, pratique le renoncement et le contrôle du souffle. Ailleurs, il se prosterne cinq fois par jour dans la direction du tombeau de son maître afin d'offrir ses hommages sans égard à la situation dans laquelle il se trouve. Ailleurs encore, il s'agenouille dans le temple ou dans sa maison et, les mains jointes, admet être une âme indestructible et glorifie le principe divin.

Chaque type d'adoration diffère dans le vêtement, la nourriture, les règles d'hygiène, etc. En outre, le sentiment et la conduite envers l'Objet adoré varient selon les religions. Certains dévots, la conscience saturée de dévotion, installent une forme de Dieu dans leur âme, leurs pensées ou sur un autel. D'autres processus, plus enclins aux arguments de la logique, rejettent l'image externe complètement ; l'aspirant doit alors créer une conception de la Cause Ultime dans son esprit et l'adorer. Néanmoins, nous devons savoir que toutes les Déités ou « Objets » concrets, abstraits, visibles ou invisibles qui sont décrits dans les diverses Écritures, sont en réalité d'authentiques représentations de l'Un.

Il est surtout important de saisir que différents langages donnent à l'Absolu des noms variés. Les systèmes religieux portent aussi divers noms et possèdent pour chaque objet de culte une dénomination appropriée. Du fait des cinq grandes différences citées plus haut, les nombreuses religions du monde se sont développées de façon très distincte les unes des autres. Il ne faudrait pourtant pas que naissent de ces divergences de mutuels désaccords, car cela entraînerait un véritable désastre.

(((ॐ)))

LA VÉRITÉ EST UNE

S i nous nous trouvons, à l'heure de la prière, dans le temple d'un groupe religieux différent du nôtre, nous devrions penser : « Ici, l'Absolu est adoré dans une forme nouvelle ; Il est appelé par un Nom autre que celui que je connais. Il n'est pas obligatoire de prendre part à ce rituel ; mais cette scène fait naître en moi un sentiment plus intense pour ma propre méditation. La vérité absolue est Une. J'offre donc mes hommages à la Forme que je vois ici et je prie l'Infini (d'où cette « Forme » est issue) que cette Déité particulière m'aide à accroître mon amour pour Lui. »

Ceux qui n'agissent pas de cette manière, mais montrent de la malice, de l'envie, ou ridiculisent d'autres processus méditatifs, dévient certes de la vraie spiritualité, manifestant ainsi leur manque de vision universelle. Lorsque de telles personnes auront réellement élevé leurs fréquences vibratoires par un processus ou par un autre, elles ne seront plus attirées par ce genre de querelles inutiles. Le pur amour (*Prema*) incarne en fait l'éternelle religion de l'âme spirituelle (*sanatana-dharma*), et donc malgré les cinq grandes distinctions qui différencient les religions du monde, nous devrions reconnaître comme véritable, tout processus de purification et d'accélération dont le but est d'atteindre la dévotion pour tous les aspects du Divin (*Bhakti*).

Inutile de se quereller pour un nom ou pour de puériles dissimilitudes. La valeur d'une méthode de réalisation du Soi ne se « juge » qu'à la pureté du but à atteindre. À la lecture des pensées de Bhaktivinode Thakur, on saisit toute la futilité, toute l'extrême ignorance et toute la formidable hypocrisie qui mènent les hommes à s'entre-tuer au nom d'un Dieu particulier ! On comprend une fois pour toutes que les prétendues guerres de religion ne sont en fait que des guerres de pouvoir, des guerres de profit, dirigées par la seule cupidité et la seule sauvagerie de quelques retardataires déguisés en religieux et qui, malheureusement, trouvent encore de nos jours des êtres sans scrupules pour les suivre... Pour citer un exemple, rappelons que l'Église Catholique a torturé, séquestré et finalement assassiné plus d'un million de femmes, à l'époque pas si lointaine de l'Inquisition, sans jamais s'excuser réellement ni dédommager les familles de ses malheureuses victimes.

TENTER L'EXPÉRIENCE DU NOM UNIVERSEL

Il n'y a par ailleurs nul besoin d'adopter une religion officielle pour progresser spirituellement, ou pour pratiquer le chant des Noms de puissance. Il se peut que pour certains, pour qui le terme « révélé » ne veut strictement rien dire, aucune Écriture n'ait une quelconque résonance et que le mot latin *religare* (se relier à l'Absolu) demeure encore énigmatique. Pour plusieurs, Dieu est mort ou est une abstraction, un rêve, une utopie. Ne rencontrant pas d'*acarya* (maître vivant qui ne « prêche » que par l'exemple), ils ne se sont pas donné la peine de chercher plus loin et ont simplement accepté, sans investigation personnelle, les idées matérialistes proposées par la majorité. Sans trop savoir pourquoi, ils en sont arrivés à la conclusion qu'un pouvoir surnaturel omniprésent ne pourrait exister dans un monde où sévissent la guerre, les ténèbres et la haine.

Un extra-terrestre qui atterrirait au milieu d'un désert n'apercevrait aucune trace d'eau et pourrait commettre le même genre d'erreur en arrivant à la conclusion que l'élément eau ne peut exister sur la Terre. Les calamités et les malheurs de la création n'impliquent pas nécessairement la non-existence d'un créateur. Le bonheur ou le malheur des hommes n'est que la juste récompense de leurs paroles, de leurs actes, de leurs pensées et des musiques négatives qu'ils écoutent.

Quoi qu'il en soit, il ne s'agit pas de croire ou de ne pas croire, mais plutôt de faire, d'expérimenter, et de « goûter ». Que le mot Dieu ait pour nous une signification ou n'en ait pas, il n'y a là aucune raison de changer notre manière de voir les choses. Le chercheur qui n'a pas encore expérimenté la révélation de la Présence Interne peut aussi bien commencer l'œuvre de transformation à partir d'une simple supposition : la cause originelle devient alors une hypothèse de travail. N'est-ce pas, après tout, la méthode la plus couramment employée en science pure ?... Quelles que soient nos convictions, il est toujours possible de choisir une vibration sonore composée d'une des fréquences sacrées connues et de l'utiliser pour son propre bénéfice. L'important est de chanter le Nom, peu importe que ce mot appartienne à telle ou telle tradition.

Il n'est même pas nécessaire de croire ou non en une Intelligence Supérieure pour tenter l'expérience du Nom.

Installez-vous confortablement à l'écart, respirez profondément, détendez-vous. Laissez votre esprit circuler sans lutter contre lui, comme vous laisseriez couler l'eau d'une rivière, et simplement, naturellement, faites l'expérience du Nom. Tout ce qu'il est nécessaire de faire, c'est d'écouter. Des lèvres, le son passe dans l'oreille et descend dans les profondeurs de la conscience. L'activité des sens et du mental semble alors s'arrêter et l'on expérimente un bonheur que le langage est incapable de décrire. On ressent une paix et une joie à la mesure de la beauté de la vie. On détecte la merveilleuse mélodie de l'amour vrai, et cette vibration primordiale a le pouvoir de nous libérer du cycle des morts et des renaissances en nous situant sur le chemin du retour vers la paix et la lumière.

(((ॐ)))
LE NECTAR IMMORTEL

Nous l'avons vu, un mantra est une structure sonore dont les modulations recèlent un certain pouvoir. Souvent formé parmi les cinquante signes de l'alphabet sanskrit – *devanagari*, ou langage des dieux – le mantra permet au mental de connaître la concentration. La plupart des mantras utilisés pour la méditation sont choisis parmi les multiples Noms qui désignent la source première. La répétition de tels mantras se nomme *japa*. De nombreux maîtres ont corroboré la science védique en précisant que le *japa* a spécialement été recommandé pour l'âge présent (âge de Kali) comme moyen efficace d'atteindre la réalisation du Soi.

harer nama harer nama harer namaiva kevalam

Kalau nastyeva nastyeva gatir anytha

« Dans l'âge de Kali, le chant des noms sacrés, le japa, *représente la méthode, la technique véritablement utile pour atteindre l'illumination. »*

(Purânas)

En fait, le *japa* est appelé *yuga-dharma* : le moyen d'atteindre le salut, le devoir de tout être vivant (*dharma*) dans ce grand cycle cosmique particulier qu'est le *Kali Yuga*.

Chanter et écouter (*Sravanam Kirtanam*) est un moyen facile qu'à tout âge on peut pratiquer. Si nous n'éprouvons pas d'attirance particulière, ou si nous avons quelque préjugé pour un des Noms sacrés, nous pouvons choisir Celui qui nous convient le mieux. Par exemple, si le nom Rama ou Krishna (l'Infiniment Fascinant et la Source de tous les plaisirs) nous incommode, pour une raison ou une autre, nous pouvons pratiquer le chant du nom du Christ ou Christos (la lumière), ou encore Allah (Al : sans commencement ; lah : sans fin) ou Jéhovah, Iahvé, Adonaï ou Bouddha (l'Illuminé) etc.

En conséquence, même si nous sommes attachés à une désignation religieuse quelconque, si nous nous pensons hindous, chrétiens, bouddhistes ou musulmans, nous pouvons très bien nous engager dans la pratique du Nom tel qu'il est mentionné dans le message spirituel auquel nous sommes conditionnés par notre éducation, notre culture ou notre tradition. L'essentiel est de développer le souvenir de la divinité intérieure.

De même qu'il est possible d'apprendre les mathématiques dans n'importe quelle université, on peut développer l'amour de Dieu en pratiquant n'importe quelle voie authentique. Ainsi, le Nom en lui-même importe peu. L'important est de le chanter ou de l'entendre. Le chant et l'écoute permettent d'expérimenter la nature même du Nom. On goûte le nectar immortel. Aucun mot n'est digne de décrire cette expérience inoubliable. On peut, par exemple, écrire des pages sur la nature du miel. Analyser les éléments qui composent cette substance, dire que le miel est sucré, doux, plein de saveur, etc. Mais aucune explication, aucun livre ni aucune conférence ne remplacera l'expérience directe. Il suffit de le goûter pour le « connaître ». Similairement, la nature transcendante, spirituelle et absolue du Nom ne peut être connue autrement que par l'expérimentation directe.

Il n'existe aucune barrière matérielle au chant du Nom. Un musulman peut chanter le nom d'Allah, un chrétien celui du Christ, un hindou celui de Rama, de Krishna, ou de Narayan, un bouddhiste celui de Bouddha. Il n'est pas non plus nécessaire d'être riche ou d'être pauvre, instruit ou ignorant. Cela ne coûte rien : le chant du Nom est gratuit. On peut le pratiquer partout, dans n'importe quelle circonstance, avec n'importe qui. Chacun peut le chanter et tirer de cette pratique universelle le plus haut bénéfice. Pour ce chant et cette écoute, nulle règle stricte. Maintes fois, le chant du Nom est recommandé dans les Écritures bibliques. Les Psaumes nous exhortent de le chanter et de le glorifier :

« Toutes les nations que Tu as créées viendront devant Toi, ô Seigneur, et glorifieront Ton Nom. »

Les Chroniques donnent également ce précieux conseil :

« Célébrez Yahvé, invoquez Son Nom ; parmi les peuples, annoncez Ses hauts faits. Chantez-Le, jouez pour Lui ; méditez sur toutes Ses merveilles. Glorifiez-vous de Son Saint Nom. »

(1 Chroniques 16.8-10)

Dans le Nouveau Testament, saint Paul nous dit :

« Il n'y a pas de distinction entre Juif et Grec ; tous ont le même Seigneur, riche envers tous ceux qui L'invoquent. Car quiconque invoquera le Nom du Seigneur sera sauvé. »

(Romains 10.12-13)

Le grand maître Jésus a le même message :

« J'ai manifesté Ton Nom aux hommes, Saint-Père, garde-les dans Ton Nom que tu m'as donné, pour qu'ils soient Un comme nous. »

(Jean 17.6, 11-12)

Et il enseignait de prier ainsi :

« Notre Père, que votre Nom soit sanctifié. »

MÉDITATION ACTIVE

Tout comme l'instrumentiste s'exerce chaque jour aux gammes et aux arpèges, le compositeur, qui désire que sa musique soit de nature à toucher les régions les plus hautes et les plus pures de l'être ou le simple aspirant au mieux-être, médite quotidiennement sur les réalités essentielles de l'univers. Il exerce régulièrement son mental aux arpèges de la paix, de la beauté, de la vérité, de la bonté. Son exercice quotidien est la méditation active. Ses gammes seront composées des sons qui désignent L'Infini, selon la tradition qui lui convient, peu importe , je le répète, qu'elle soit d'origine orientale ou occidentale. Il peut se concentrer plus particulièrement sur le mantra reçu de son guide personnel lors d'une initiation ; mais cette pratique ne l'empêche pas d'exercer son esprit aux fréquences des mots de pouvoir provenant de tous les courants de pensées connus sur la planète ou en provenance d'autres galaxies. Chanter le Nom a toujours été reconnu comme un moyen de réalisation authentique et efficace. Quand on entre en contact avec l'électricité, on en ressent l'énergie, peu importe le vecteur par lequel elle nous est transmise.

(((ॐ)))
SONS ABSOLUS DANS
DIFFÉRENTES TRADITIONS :

Les Noms sacrés selon l'Islam :

« Dieu est grand »	*Allahu Akbar*
« Il n'y a pas d'autre Dieu que Dieu »	*La Ilah Ill'Allahu*
« Au nom d'Allah, le Compatissant »	*Bishmillah Ir-Rahman Ir-Rahim*
« Au nom d'Allah »	*Bishmillah*
« Dieu est grand »	*Allah, Allah*

Le prophète Mahomet disait :

« L'heure de la mort ne surprendra pas celui qui chante le Nom du Seigneur. »

Les Noms sacrés selon le christianisme :

« Seigneur Jésus-Christ »

« Jésus, Jésus »

« *Sainte Marie, Mère de Dieu* »

« Om Jesum Christum »

Dans le livre intitulé *The Wonders of the Holy Name*, on peut lire :

« *Le nom de Jésus est la plus courte, la plus facile et la plus puissante des prières. Chacun peut la dire, même en plein milieu de ses occupations quotidiennes. Dieu ne peut refuser de l'entendre.* »

Les Noms sacrés selon l'hindouisme :

« *Om Namo Bhagavate Vasudevaya* »

« *Sri Ram, Jai Ram, Jai Jai Ram* »

« *Hare Krishna Hare Krishna*

Krishna Krishna Hare Hare

Hare Rama Hare Rama

Rama Rama Hare Hare » (Maha-Mantra)

« *Hari Om* »

« *A.U.M.* »

« *Om namah Shivaya* »

« *Om namo narayanaya* »

Les Noms sacrés selon le bouddhisme :

« *Namu Amida Buddhsu* »
J'offre mon hommage au Seigneur Bouddha
« *Kwanzeon Bosatsu* » *Ô Bodhisattva de compassion*
« *Om Mani Padme Hum* » *Ô Toi, Le Divin Lotus en moi !*

Le *zendo*, célèbre traité bouddhiste, mentionne à ce sujet :

« Répète simplement le Nom de Amida avec tout ton cœur, lorsque tu es allongé, assis, que tu marches ou que tu sois debout, dans l'immobilité, ne cesse jamais la pratique du Nom, même pour un instant. Telle est l'action qui procure infailliblement le salut, car elle est en accord avec le désir originel de Bouddha. »

« *La plus grande médecine est l'appel du Nom de Amida (Bouddha), et cet appel est contenu dans les six syllabes Na Mu A MI DA BU. Ce chant représente la parfaite concentration sur le Nom du Bouddha. Pour le pratiquer, aucune connaissance n'est requise. Tout ce qu'on doit faire est de prononcer les mots et d'écouter. Dans le son de ces six syllabes réside le pivot d'un pouvoir fondamental.* »

(Hakuin, Bouddhite Zen, 18ᵉ siècle).

Mantra Hébreux

Baruch Atoh Adonaï Elohenu
Mehloch Aholum

Tu es béni Ô Seigneur notre Dieu,
Grand Souverain de l'Univers.

(Dans les textes de la tradition mystique juive, la Kabbalah, le pouvoir des voyelles a une origine divine.)

Mantra Tibétain

Om Vajra Sattwa Hung
Namo Kwan Shi Yin Pu Sa

(mantra de Kwan Yin, la forme féminine de Bouddha)

Om Ha Ksa Ma La Va Ra Yam Swaha
(mantra pour l'Esprit de la Roue du Temps).

Dans la pratique quotidienne du chant et de l'écoute de ces diverses séquences sonores, il est inutile de s'attarder à leur accorder une valeur relative. L'Intelligence divine est présente dans tous les univers, et les Noms qu'on Lui attribue diffèrent éventuellement d'un endroit à l'autre, ce qui ne s'oppose nullement à sa nature absolue. En effet, les Noms servant à désigner la nécessité universelle revêtent tous le même caractère sacré car ils indiquent tous la même Personne Absolue ou la même Énergie Suprême, selon le cas. Ces Noms sacrés possèdent une puissance identique à celle de l'Être-Source ; rien ne saurait donc s'opposer à ce que chacun, en quelque partie de l'univers où il se trouve, que ce soit à l'intérieur de notre système solaire ou dans une autre galaxie, chante et glorifie spontanément le Tout Complet à travers le nom spécifique qui, en ces lieux, sert à le désigner. Ces Noms, source de toute bonne fortune, ne sont pas des facilités d'ordre matériel. Pour qu'ils soient vraiment efficaces, il est préférable de les prononcer ou de les chanter dans un but altruiste, l'esprit élevé vers les plus hautes visualisations de l'amour cosmique. La soif de cet amour absolu, provoqué par le chant des Saints Noms, représente l'un des moyens les plus énergiques d'adapter son propre taux vibratoire à celui des plans supérieurs inaccessibles aux sens et à la raison purement physiques. Ce chant magique, chacun peut le pratiquer librement, qu'il soit terrestre, extra-terrestre ou intra-terrestre.

De même qu'il n'y a aucune limite au véritable amour, il n'y a absolument aucune frontière à l'émotion initiatique du Chant des Noms sacrés ; que l'on soit situé dans l'univers supérieur, inférieur ou intermédiaire, ou encore que l'on ait la possibilité de passer de l'un à l'autre par nos pouvoirs mécaniques ou mystiques, chacun peut tirer de ce chant le plus grand bienfait, le plus grand bénéfice.

Om Jesu Christaya Paramatmane
Purusha Avataraya Namaha

Ce mantra stipule que Jésus-Christ est un guide universel, une âme qui préside et dirige toutes les âmes, et qui est porteur de la grâce divine.

((ॐ))

Chapitre cinq

Le lâcher-prise de la danse sacrée

« Ô Jour, lève-toi, les atomes dansent, les âmes
éperdues d'extase dansent, la voûte céleste, à cause
de cet Être, danse ; à l'oreille je te dirai où l'entraîne
sa danse : tous les atomes qui se trouvent dans l'air
et le désert, sache bien qu'ils sont épris, comme nous,
et que chaque atome heureux ou malheureux est
étourdi par le soleil de l'âme inconditionnée. »

JALAL-OD-DIN-RùMI

Depuis l'aube des temps, l'Orient connaît et pratique la danse extatique ou sacrée comme moyen de méditation et de dévotion. Par comparaison, l'Occident, qui s'en est éloigné au fil du temps, tend tranquillement à s'en approcher de nouveau. Ce désintérêt marqué de la part des Occidentaux pour ce type de pratique spirituelle a sans doute été provoqué par l'émergence de fausses croyances et de mauvaises perceptions dérivant d'une éducation morale et spirituelle inculquée et aussi reçue de façon « dichotomique » (division entre les choses de la matière et celles de l'esprit). Aussi, avons-nous longtemps perçu tout ce qui nous apparaissait, avouons-le, « primitif » comme synonyme de « profane ». Nous avons cru, à tort, et peut-être le croyons-nous encore à un certain degré, qu'il existe une incompatibilité entre les « mouvements du corps » et « la prière », qui devait se faire selon les « normes » et surtout dans le recueillement et le silence. La seule idée d'« utiliser son propre corps » pour exprimer ou vivre des sentiments et des émotions « réservés au monde de l'esprit » a longtemps provoqué de l'indignation. Relatons par exemple, l'histoire du Roi David dansant nu devant l'Arche d'alliance, ce qui est encore aujourd'hui un grand scandale aux yeux des religieux matérialistes dont le regard se limite à la surface de l'existence. La nudité de David représentait le gage de la pureté de ses intentions, sa danse se voulait la manifestation de son extase spirituelle.

Heureusement, les sociétés occidentales manifestent aujourd'hui un désir beaucoup plus ardent pour l'émergence d'une nouvelle mentalité qui tend à vouloir éliminer les frontières entre les différentes cultures et bien sûr, leurs coutumes. Les individus changent, les perceptions changent, les croyances aussi. De façon naturelle ou voire même instinctive, l'être humain a toujours eu tendance à chercher des moyens de « se relier » à ce qu'il a de divin en lui. Il cherche encore et il continuera de chercher peu importe sa couleur ou sa race. La danse sacrée dont nous parlons ici se veut *a priori*, une méthode que l'on peut certainement qualifier d'universelle et d'intemporelle.

L'extase primordiale de la gestuelle transcendantale se situe hors du temps. Le danseur, n'est plus ni jeune ni vieux, ni riche ni pauvre, ni homme ni femme. Il ne s'identifie plus à la matière. Il n'est plus ni américain ni français ni chinois. Son identité sociale s'efface pour laisser la place à sa véritable identité céleste. La personne qui danse revendique l'éternité, et représente l'exemple idéal de l'impérissable incarné dans la matière périssable.

Ainsi, l'âme de Mevlana D'Jellal ed'din Rùmi, père des derviches tourneurs, entraîne son corps dans le tournoiement infini de la spirale cosmique.

Par le rythme du tambour, le chaman accède au monde des esprits. La danse rythmée représente le véhicule sur lequel le guérisseur-sorcier voyage jusqu'aux régions invisibles.

En conséquence, quiconque pratique la danse dans le but d'obtenir une fusion du corps et de l'âme devient un adepte de danse « principielle » improvisée qui provoque une libération dans l'extase ; le mouvement intérieur se traduisant alors comme un impératif : **lève-toi et danse** ! Lorsque la musique jaillit de l'âme humaine, elle devient transe, et cette transe devient danse. Lorsqu'il est en extase, l'être vivant, dévique, angélique, humain ou animal, se lève et danse. La musique devient extase et l'extase provoque la danse. L'âme part en voyage sur les ailes de la danse. Rien ne peut l'arrêter. Il lui est impossible de ne pas danser.

La danse est un symptôme d'extase, un signe du Divin. C'est pourquoi le rythme et la danse sont apparus dans l'histoire humaine non pas comme de simples divertissements du corps et du mental, mais bien comme une technique de méditation supérieure et de libération.

Dans la danse méditative, l'ego illusoire s'évanouit. Il se dissout lui-même dans le mouvement, emporté par le rythme, et ce, sans effort. L'être qui s'engage dans la danse méditative ne pense plus, il ne connaît plus la peur, il oublie tout souci, il se libère du poids de ses inquiétudes. Il danse au bord de l'Univers. Il danse au milieu des déserts, dans les clairières sacrées des anciennes forêts magiques. Il danse sur la cendre des âges passés, présents et futurs. Il n'a plus conscience ni des naissances ni des morts. Son corps perd de la densité. Il devient « âme qui danse ». Il devient danse. L'ego meurt, seul le mouvement survit.

Par la danse spontanée, on atteint l'extase. Le corps et l'esprit fusionnent spontanément et pénètrent dans le Grand Courant du Cosmos, l'éternel mouvement des existences. Il n'a plus de résistance, plus d'attente, plus de demande, plus d'obstacles. Le corps se soumet à la direction de l'Univers. Lorsque le danseur danse avec son âme, sa danse se traduit comme une offrande au Divin, un acte d'Amour et de dévotion rendu à la personnalité Infinie de la Source Divine.

Il s'agit de se perdre dans le rythme et de fondre l'ego dans la danse. Se perdre dans l'Amour pour retrouver l'âme, le principe vital qui survit à la dissolution du corps physique.

L'événement le plus merveilleux, et sans doute le plus important d'une vie humaine, a lieu au milieu d'un « kirtana », danse « congrégationnelle » offerte à la source Divine.

La méditation n'est jamais séparée de la gestuelle « dévotionnelle ». Accompagnée du chant des Saints Noms Divins, la danse représente la technique de méditation la plus puissante car tous les plans de l'être y sont parfaitement engagés.

Par la danse sacrée, le point de transcendance peut être atteint. La musique de l'âme n'a d'autre but que d'inviter le corps, les sens, le mental, l'intelligence, à rejoindre cet espace, à toucher ce point de fusion.

Le *kirtan*, danse de l'Amour Divin, danse « dévotionnelle », est une offrande aux pieds de lotus du Seigneur de l'Univers, l'Infiniment Fascinant Krishna-Christos. Le *kirtan,* comme le *bhajan,* est méditation. Le *kirtan* est une forme supérieure de méditation. Il est célébration. L'être qui danse pour le plaisir de l'Absolu, célèbre en lui-même sa propre éternité spirituelle, sa propre conscience parfaite et la joie infinie de sa nature transcendante. Le *Kirtan* est le langage silencieux de l'âme, la parole rythmée et ineffable du coeur. Danse nuptiale du peuple des oiseaux, danses yogiques des Dakinis qui accomplissent la « cosmisation » du corps physique, danses sacrées qui transforment le monde profane en un univers multidimensionnel. L'impuissance des mots à exprimer l'émotion se retire devant la spontanéité de cette danse qui surgit des profondeurs de l'être humain. Si la Conscience est le signe de la Vie, la danse est le signe de l'extase, l'Instinct de l'*Ananda*, sérénité suprême qui se situe au-delà des joies et des peines. Il y a oubli de la dualité du relatif et éveil conscient de l'unité première.

Terpsichore, Muse de la danse, exprime en gestes les vibrations sonores qui émanent des instruments de musique afin de transcrire dans le monde physique les émotions spirituelles des mondes célestes.

Le *kirtana* traduit en expressions corporelles les états d'âme les plus secrets de l'être vivant, toutes les transformations intérieures, les révélations profondes, les certitudes mystiques, les énergies d'Amour pur s'inscrivent clairement dans la gestuelle sacrée de l'âme qui est à l'écoute de sa musique intérieure et qui transpose son extase par la liberté et la spontanéité du mouvement.

Tout se passe comme s'il opérait une réconciliation profonde du corps et de l'âme, du mobile et de l'immobile, de l'être individuel et de l'Être Suprême, du visible et de l'invisible.

Dans la danse sacrale, le corps devient spiritualisé. Au contact du feu, le fer devient feu. Au contact de la danse méditative, le corps physique devient corps spirituel. L'enveloppe charnelle devient « Krishnaïsée », Christique, « Bouddhaïsée », illuminée d'une joie céleste. Si l'analyse mentale ou la peur de l'opinion d'autrui bloque l'élan spontané de la danse « dévotionnelle », rien ne se passe. Si nous ne redevenons pas comme des petits enfants, nous n'entrerons jamais dans le royaume de la danse sacrée, car les enfants n'ont ni peur du futur ni ne regrettent le passé.

Le *Vaïsnava*, serviteur de Vishnu, danse devant les divinités du temple. Par le *kirtan*, il s'affranchit de l'éphémère. Il se libère du doute et de la peur reliée à la destruction du corps de matière et de tout ce qui s'y rattache, c'est-à-dire la famille, la demeure, les possessions, les richesses, la nation, la race et la croyance. Les danses libres des concerts de notre temps n'ont pas d'autre but lorsque les danseurs se servent de la musique comme d'un support de méditation, véritable « rampe de lancement » vers les régions inexplorées de l'intérieur.

Le corps dans son ensemble est ainsi absorbé dans le *samadhi* parfait de la danse sacrificielle. Cette méditation mystique est de pratique facile, d'application joyeuse, et représente un outil d'une efficacité considérable pour qui manifeste l'ultime désir d'atteindre la santé physique et la libération du mental. On atteint le monde du bonheur en dansant pour le plaisir de l'Âme Infinie enfouie de toute éternité dans les profondeurs de tous les êtres vivants. La pratique régulière du *kirtana* provoque automatiquement une purification de la pensée, une clarification des émotions, un « rassemblement » de la volonté et permet au danseur parvenu à la fin de sa vie terrestre d'accéder aux royaumes de la Lumière Divine. Par le chant et la danse des Saints Noms, on parvient aisément à fixer son esprit sur la Source de la Vie.

Dans le monde de l'Absolu, tout est absolu. La danse divine portée par l'Amour pur est identique à la Personne Divine. Le Nom de l'être Divin est identique à l'Être Divin. Par la danse sacrée, le danseur s'associe directement avec le monde spirituel. Par cette association, il entre en résonance avec la Source Infinie qui jaillit en son âme.

Une fois que la danse a été spiritualisée par l'harmonie du cœur et que chaque mouvement et chaque respiration sont devenus une offrande divine, l'âme qui danse n'a pas besoin d'une autre forme de méditation. Elle oublie toute technique. Elle devient flux et reflux des vagues de l'océan. Elle devient prière qui flotte dans le vent du matin, elle est tremblement de terre, glissement de plaques tectoniques, mésanges emportées dans le souffle du monde. Tourbillon de poussière dans le sein des grandes tempêtes de sable, elle vibre, mobile et immobile, dans l'œil de la tornade.

L'Être Cosmique la regarde ; du centre de chacun des pores de sa peau, l'Être Divin la contemple. Elle danse dans l'harmonie des mondes célestes et terrestres. Elle n'attend plus rien. Elle est heureuse, habitée de cette sérénité, dont le royaume se situe au-delà de l'ego éphémère, au-delà des joies et des peines reliées aux désirs de possession des êtres et des choses. La danse mystique l'affranchit des luttes illusoires et des résistances. Elle accepte, elle aime, elle danse, elle est libre.

La gestuelle rythmique se pratique n'importe où, dans le silence de la montagne ou au milieu de la foule, dans un palais ou dans une grotte, à n'importe quel âge. Comme moyen d'entrer en liaison avec l'Absolu, elle convient à toutes les croyances, fussent-elles bouddhiques, chrétiennes, islamiques, hébraïques ou védiques. La croyance importe peu. L'intervention qui est décisive ici n'est pas la mémorisation d'un dogme quelconque, fût-il parfait. *Ce qui compte, c'est de danser en sentant que le cœur est amoureux.* Amoureux de l'Univers, amoureux de la Vie, amoureux de l'Amour, amoureux du Créateur de la manifestation cosmique.

Il s'agit de laisser aller le reste. Le reste est attachement. L'attachement est douleur, blocage, résistance au destin. Laisser aller. Laisser aller. La danse permet *mukti*, libération, le parfait lâcher-prise.

Danser avec celle qu'on aime. Danser avec celui qu'on aime. Laisser l'Être Infini devenir Celui qu'on aime. Laisser la Mère Divine devenir Celle qu'on aime. Laisser aller le reste. Danser avec Dieu car au moment où se produit cette fusion, Il danse bel et bien en nous et avec nous.

Arriver à se sentir comme un arbre dont les branches dansent dans le vent. Inviter les oiseaux à descendre se poser sur nos bras élevés vers le ciel comme pour y toucher la lumière du Soleil. Danser comme un chêne dans la tempête, comme un cèdre sous la pluie, comme un humble roseau qui gesticule avec amour dans la grâce du courant. Devenir la vague qui envahit la plage et qui se retire emportant avec elle mille grains de sable.

Ouvrir son cœur. Ouvrir son âme. Ouvrir les bras et recevoir l'étreinte de l'Univers. Le *kirtana* est la danse extatique accompagnée d'instruments de musique, de percussions et du chant des Innombrables Saints Noms de l'Infini Seigneur du cosmos. La danse sacrée est une arme de combat puissante contre le découragement. Elle stimule le système immunitaire et protège la santé – du corps et de l'esprit. Par elle, toutes sortes d'émotions nuisibles se métamorphosent en sentiments-lumières.

Dans le *kirtan*, le mantra est scandé, rythmé dans un mouvement incantatoire dont la couleur spécifique importe peu. Le mantra peut être porté par un rythme tribal, par un rythme reggae, ou par tout autre mouvement rythmique issu de la musique du monde, issu des rythmes du monde; des mondes terrestres et éventuellement extra-terrestres. L'essentiel n'est plus dans la couleur particulière du rythme, mais bien dans la pureté des motivations qui suscitent la danse.

Danse du soleil, danse de la pluie, danse de guérison, danse rituelle, danse de deuil ou de naissance, toutes ces danses éprouvent et éveillent la parcelle divine égarée dans l'océan des morts et des renaissances. La danse de l'âme est prière et glorification. Ce genre de prière possède mille et une vertus curatives. Depuis des millénaires, il existe une thérapeutique de la danse.

Ainsi, la vertu ne signifie pas nécessairement l'inertie. La musique de l'âme ne se limite pas à une absence de rythme. Car tout est rythme dans la nature. Tout tremble, tout bouge, tout frémit, tout danse !

Selon différentes circonstances de temps et de lieux, la musique sera presque immobile ou bien jaillira avec une énergie considérable. La musique qui éveille l'esprit n'est pas nécessairement une musique sans rythme ; elle peut se manifester de toutes sortes de façons, parfois calme et voluptueuse et d'autres fois avec une vigueur et une énergie insoupçonnée.

Aucune technique de danse n'est requise pour qui manifeste le désir d'expérimenter le *kirtana*. La pratique du *kirtana* se définit comme une offrande à l'Absolu qui n'évalue jamais les « performances ». La Mère Divine, la Source de tout ce qui est, ne juge pas la technique. Il y a simplement absorption de l'Amour par la Source de L'Amour. Danser comme dansent les petits enfants convient parfaitement. Plus l'expression est simple, plus l'énergie a l'opportunité de circuler librement. Le *kirtana* se pratique plus agréablement en groupe, mais il peut également se pratiquer dans la solitude, dans le Silence des Choses Secrètes.

(((ॐ)))

Dieu et les dévas.

Pour l'harmonisation du système des chakras, les yogis de la tradition védique utilisent différents mantras. Certains de ces mantras sont composés soit directement des Noms du Seigneur Suprême, soit indirectement des noms de différents dévas, tel Shiva, Brahma, Ganesha, la déesse Tara etc. Dans la technique authentique des mantras, il y a Dieu d'une part, et les dieux d'autre part. Pourtant tout s'inscrit inconcevablement et simultanément dans une non-dualité transcendantale.

Pour l'efficacité des mantras eux-mêmes, les anciens traités sanscrits nous demandent de réaliser qu'il existe une nette différence entre l'Absolu et les activités des dévas qui ne sont jamais indépendantes de Dieu, l'Être Suprême.

Plusieurs versets provenant d'une des plus anciennes Écritures au monde, la Brahma-Samhitâ (les Hymnes monothéistes de Brahma), montrent clairement la différence qu'il existe entre Dieu et ses archanges ou dévas. Le grand déva Ganesh, par exemple, garde à jamais les pieds de Dieu sur les deux proéminences de sa tête d'éléphant afin qu'ils lui confèrent le pouvoir d'éliminer tous les obstacles sur la voie du progrès dans les trois mondes. Par ailleurs, la même Brahma-Samhitâ révèle que Dieu (sous Son Aspect Govinda) se transforme en Shiva pour l'accomplissement de l'œuvre de transformation comme, par analogie, le lait se transforme en yogourt sous l'action d'un agent de transformation spécifique (comme l'acide citrique par exemple). De la même manière, Tara, déesse de compassion dans le Mahayana du Bouddhisme Tibétain, est considérée comme une émanation de Durga, agent créateur, préservateur et destructeur de l'univers matériel et qui représente l'énergie externe, ombre de l'énergie spirituelle. En prononçant les mantras qui s'adressent à la déesse, il est recommandé de se rappeler que la déesse Durga, ainsi que toutes ses émanations, se tiennent toujours sous la juridiction de l'Absolu et ne sont pas complètement indépendantes de Sa volonté. Parallèlement, le grand maître de la conscience divine, Sri Caitanya Mahaprabhu, montre dès le XVème siècle que, non seulement tous les dévas, mais aussi tous les êtres vivants sont « un » en essence avec Dieu (acintya bhedabheda tattva). Ils n'En sont différents que de manière quantitative. Un exemple parmi d'autres qui est proposé est celui du feu d'une lampe qui, lorsque transmis à d'autres lampes, ne perd rien de sa qualité bien que ce feu brûle de façon distincte en chacune des lampes qu'il allume. Ainsi, le Seigneur originel déploie la même constance et donc les mêmes pouvoirs surnaturels à travers Ses diverses manifestations déviques, et simultanément les dieux et les déesses Lui sont distincts.

De plus, la radiance éblouissante de Sa forme transcendantale constitue le Brahman impersonnel, non différencié, non duel, infini, non linéaire, absolu, impénétrable pour la raison humaine, complet et formant une matrice omniprésente, source de lumière impersonnelle divine.

L'Écriture védique présente une conception de Dieu selon laquelle l'Être Originel est à la fois impersonnel et personnel. La Substance Divine est décrite sous trois aspects qui sont Brahman (la Lumière Impersonnelle), Paramatma (l'Âme Suprême de tous les êtres vivants) et Bhagavan (le Tout Possédant). Ces trois aspects du Divin forme un tout non différencié puisque Ses énergies ne diffèrent pas de Lui. Il possède également Son inséparable Aspect Féminin Suprême et bien que d'innombrables particules divines toutes complètes en elles mêmes émanent de Lui (les êtres vivants), Il demeure inconcevablement un Tout Complet.

Il est intéressant de noter que le Védas parle de particules subatomiques des milliers d'années avant les

« découvertes » de nos savants modernes. L'atome y est souvent mentionné sous l'expression sanscrite « paramaanu », qui signifie précisément « atome » ou « particule », soit la plus petite partie de la matière. Plusieurs Écrits védiques expliquent en détails de quelle manière la plénitude de Dieu se trouve également présente au cœur même de chacun des atomes dont l'ensemble constitue l'apparente réalité de l'univers.

Nous savons aujourd'hui, par les travaux de grands physiciens tel que Max Planck, que la matière en tant que telle n'existe pas. La physique montre sans l'ombre d'un doute que toute matière n'origine et n'existe qu'en vertu d'une énergie consciente et intelligente qui maintient ensemble ce système solaire miniature qu'est un atome. En recevant son Prix Nobel de physique, Max Planck a précisé que nous devons nécessairement en conclure que cette énergie est régie par un Esprit conscient et intelligent. L'Écriture védique nomme plus simplement cet Esprit en utilisant le Saint Nom de « Govinda ». Cet Esprit Vivant Suprêmement conscient et intelligent possède une infinité de Noms qui correspondent à une infinité d'Activités et de Divertissements ou Jeux Cosmiques. Les Saints Noms suivent, par graduation ou degré naturel, une échelle d'élévation de la conscience humaine ; c'est pourquoi l'Esprit divin se manifeste à nous de la manière dont nous Le concevons de part la nature même de nos pensées et de nos actes en ce monde. Certaines âmes deviennent éligibles à réaliser Dieu sous une Forme ou sous une autre, dépendant du degré d'élévation de leur conscience. Nous pouvons dire aussi que Dieu n'a pas de Forme puisque Ses Formes ne sont pas matérielles. Il est le Sans-Forme car Ses Formes sont de nature purement transcendantales. De la même manière, nous pouvons dire que Dieu n'a pas de Nom. Il ne possède pas en effet de nom matériel puisque Ses Noms sont composés de Vibrations Sonores Spirituelles d'une nature diamétralement opposée aux vibrations sonores ordinaires que nous pouvons percevoir avec nos organes de perception matérielle. Au niveau absolu, le Nom et le Nommé sont Un et non différencié. En pratiquant la prière du Nom (HariNaam), nous créons une impression durable dans notre mental et éventuellement il nous est possible d'entrer en contact avec Dieu qui Se manifeste alors à nous selon la façon dont nous L'appelons. Tel est un des secrets du pouvoir des Saints Noms.